D1545509

Willy

Colette

et moi

Sylvain Bonmariage

Willy
Colette
et moi

Introduction de Jean-Pierre Thiollet

ANAGRAMME
éditions

INTRODUCTION

Colette toute nue

Colette à découvert... Ou plutôt Colette toute nue. Tel pourrait être le titre de cet ouvrage qui apporte un éclairage étonnant et parfois très démystificateur sur un personnage quasi sacré. L'auteur de *Chéri* ou du *Blé en herbe* apparaît en effet, avec Hugo, comme l'un des écrivains français les plus populaires et les plus vénérés. Les livres affichant son nom sur leur couverture se voient aussi bien dans les transports en commun que sur les tables des lecteurs supposés les plus exigeants. Sidonie-Gabrielle Colette (1873-1954) est « littérairement correcte ». Non seulement « pléiadisée », mais encore idolâtrée voire canonisée. Comme si dans cette géniale icône de la féminité triomphante placée au plus haut sur le piédestal de la postérité, il y avait du Sainte Colette devant laquelle tout le monde devait se prosterner !

Or, le récit de Sylvain Bonmariage, un témoin qui la connut intimement, met cette « Grande Colette » aux antipodes des rituelles hagiographies, tout en redonnant au passage à Henry Gauthier-Villars, dit Willy, son époux de 1893 à 1906, toute son importance. Il nous raconte une femme, avec son tempérament et ses passions, ses petitesses, ses limites et ses travers. Tant et si bien qu'il nous permet de mieux percevoir sa relation personnelle à l'univers, fondée sur le regard, l'ouïe, l'odorat, sur des expériences physiquement éprouvées.

Document d'époque, authentique et irréfutable, il n'est pas l'aboutissement de compilations livresques ou de réflexions déconnectées de tout vécu : il a la force d'une déposition sans concession d'un auteur ayant réellement côtoyé les personnages qu'il évoque (*), assisté aux situations qu'il décrit, et observé avec attention les faits et gestes quotidiens d'une société si éloignée de la nôtre et devenue si difficilement compréhensible... Marqué d'une grande vérité, et souvent d'une certaine vigueur dans l'expression, le texte a conservé toute son irrévérence à l'égard de celle qui — on est en droit de le penser — n'a pas à figurer parmi les auteurs majeurs du siècle dernier, et dont Maurice Vlaminck aurait dit, à propos de son entrée à l'Académie Goncourt : « C'est comme les dames du Chabanais, c'est très bien pour passer une nuit, mais si on vous dit que la dame va se marier avec votre frère, vous êtes furieux de la voir entrer dans la famille ».

Lors de sa première parution il y a cinquante ans, ce *Willy, Colette et moi* scandalisa naturellement l'entourage et les « gardiens du temple ». En particulier Marguerite Maniez (1885-1958), dite Meg Villars, cette journaliste, danseuse, cantatrice et amie de Colette, qui lui succéda comme compagne de Willy... « Le bouquin du Sieur Bonmariage est écoeurant ! » s'indigne-t-elle dans une lettre. « Il a raté son but d'ailleurs. Ce monsieur dépasse tellement les limites de la grossièreté (que Willy ne lui aurait jamais pardonnée) qu'il rendrait C(olette) sympathique à ses pires ennemis... ».

Mais les critères qui conféraient autrefois à un livre son caractère « scandaleux » ne sont pas nécessairement ceux constatés de nos jours, et qu'elles dérangent ou non, les réalités les plus crues sont souvent les plus vraies.

Nommée chevalier de la Légion d'honneur en 1920, événement qu'elle trouva « un peu singulier et extrêmement agréable », puis promue commandeur en 1936, à une époque où ce type de décorations facilitait sans doute moins qu'aujourd'hui le repérage des individus douteux, Colette fut longtemps une sorte d'entraîneuse qui aimait à proclamer que « les hommes en slip font beaucoup de tort aux femmes ». Une bisexuelle au prodigieux instinct vital, gigolette aux liaisons parfois très profitables — Mitzy, la marquise de Belbeuf, alla jusqu'à lui acheter une maison proche de la mer — et partenaire à l'impérieux besoin d'étalons, jeunes et moins jeunes, de « geysers de prédilection », selon sa propre expression. En somme, une amatrice de pinard, de chère et de chair... Cette personnalité parisienne qui eut une table à son nom au Grand Véfour, le fameux restaurant du Palais-Royal, a dévoré le temps et joui de l'espace, cultivé les mondanités et mené son existence comme une longue pièce de théâtre, riche en soubresauts, imprévus et revirements. Journaliste ou comédienne, conférencière ou « star académique », critique dramatique ou commerçante en produits cosmétiques, elle sut se montrer aimable et détestable, distinguée et vulgaire, arriviste, aristo ou bohème... Et c'est davantage le personnage incarné par cet écrivain de second ordre que la prose de cette « pré-Françoise Sagan de la Belle Epoque », pour reprendre la formule d'un critique, qui justifie l'attention et mérite une place dans l'histoire littéraire.

Rien de surprenant dans ces conditions que le chroniqueur théâtral et gastronomique Paul Chambrillon (1924-2000) m'ait suggéré l'idée d'une nouvelle parution de ce *Willy, Colette et moi*. Pour ce « grand vivant », esprit indépendant et anticonformiste qui a laissé d'inestimables documents sonores sur Louis-Ferdinand Céline — notamment une superbe *Anthologie* réalisée peu avant son décès — et m'honora pendant plus de quinze ans de son amicale complicité, il ne faisait guère de doute que cet ouvrage devait être le premier titre d'une nouvelle collection de livres à la fois anciens et modernes, fruits moins d'une recherche systématique que d'une passion de bibliophile et de longues flâneries au sein de l'insolite.

Puisse cette résurrection, à l'initiative d'Anagramme, d'un texte disparu de la mémoire de nos contemporains et jusqu'à présent négligé par les professionnels de l'édition, lui rendre, par son succès, le plus vibrant hommage.

Jean-Pierre THIOLLET

* En particulier Emilie-Marie Bouchaud, dite Polaire, qui fut l'interprète de *Claudine à Paris* au théâtre en janvier 1902 et dont les relations avec Colette restèrent plus ou moins amicales jusqu'à sa mort en 1939.

Si ce petit livre était un règlement de comptes voici longtemps que je l'aurais publié. Nul ne peut contester la vérité, de mon témoignage confirmé par d'autres témoignages et des documents cités.

Il n'y a jamais eu de compte ouvert de Colette à moi ou inversement. Nos relations se déroulent pendant trois périodes: 1° Celle de ma jeunesse où nous fûmes grands amis, c'est-à-dire que l'auteur des *Vrilles de la Vigne* mit à l'épreuve mon respectueux dévouement ; 2° Celle de l'âge mûr où l'amitié s'atténua dans une camaraderie de plus en plus espacée ; 3° Celle de mon déclin où l'oubli tomba sur toutes choses comme la nuit sur un paysage.

Je n'ai jamais rien demandé à Colette. Elle cessa un beau jour de me prier de lui rendre de menus services. Je puis donc parler d'elle librement.

Ces pages, je les dédie à ceux qui ont vu et qui m'ont vu : à la mémoire d'Alfred Vallette, de Davrey, d'Henri Albert, de Louis Dumur, de Georges Fourest, de Rémy et de Jean de Gourmont; de Vincent d'Indy, de Claude Debussy, de Pierre de Bréville, de Louis Barthou.

Je les dédie à Rachilde, sans plus, car nul adjectif, nul adverbe, n'ajouterait à la grandeur de son nom.

Je les dédie à Curnonsky, au souvenir de P.-J. Toulet ; à Jacques Dyssord, à Henri de Modaillan, à Pierre Varenne, à Pierre Darius, témoins affectueux et dévoués des derniers jours de Willy.

1

J'entends ne parler ici que de Colette telle que je l'ai vue et connue. Le lecteur y gagnera, et Colette non moins.

Ces souvenirs auront la saveur d'un rayonnement de jeunesse et seront le reflet d'une époque où l'on a su vivre, rire et travailler dans une aisance, une liberté, un sens profond du plaisir, un individualisme qui marquent l'apogée d'une civilisation.

Toute médaille a son revers : la vie s'avérait alors plus chère qu'aujourd'hui. Un paquet de cigarettes hongroises — les gauloises d'à présent — coûtait soixante-dix centimes. On déjeunait admirablement pour cinquante sous dans un restaurant quelconque, et chez Larue, le prix de la carte d'un client normal ne dépassait pas dix francs. Le compteur automatique d'un fiacre que vous aviez hélé place de l'Etoile et qui vous déposait à la gare du Nord ne chiffrait pas trois francs. L'apéritif, dans un café de premier ordre, valait soixante-quinze centimes et trois sous au café Biard. Un voyage en première classe Paris-Bruxelles vous revenait à vingt et un francs. A l'hôtel Canton, avenue des Champs-Elysées, une chambre avec salle de bains, dix-huit francs pour une personne et trente-quatre pour deux. En revanche, un étudiant payait sa chambre vingt francs par mois. A *l'Abbaye de Thélème,* le plus coûteux des restaurants de nuit, on servait une bouteille de Pommery, goût américain, pour vingt francs. Le *trois pour cent* français faisait prime en Bourse de Paris, cotant entre cent quatre et cent six francs !

J'ai dit que la vie était chère. En effet : quand vous lâchiez vingt sous, vous rendiez à la circulation une valeur réelle, changeable à vue, dans n'importe quel pays du monde. Aujourd'hui que vous lâchez mille francs avec la même facilité, vous livrez au commerce un vilain chiffon à cours forcé avec lequel, à Londres, à New-York, vous ne pourriez acheter le bout de papier sur lequel les presses de la Banque de France l'ont établi.

Jamais la vie n'a été meilleur marché qu'en 1951, sous le règne du billet de mille courant. Jamais elle n'a été plus chère qu'en 1904 et 1905 sous le signe de la pièce de vingt sous.

D'autre part, cette cherté de la vie était compensée par une extraordinaire facilité de se procurer de l'argent, et par une sécurité superbe de la valeur de l'argent lui-même. Celui qui possède un billet de mille francs, dont il sait qu'il vaut mille francs et le vaudra toujours par la suite, conserve ce billet. En outre il s'explique l'insignifiante rentabilité de la somme dans des placements avouables, et préfère augmenter son revenu en prêtant à un bon petit jeune homme, en entrant dans des combines de paris aux courses, de commandites de théâtre...

Ces considérations d'économie comparée sont nécessaires à la compréhension de ces jours où j'ai connu Colette et à la réalisation du rôle que Colette y a joué.

On comprend mal la liberté sans facilités financières et facilités de déplacement. Un Français, alors, pouvait voyager dans n'importe quel pays du monde comme à présent il part pour Vincennes ou Saint-Cloud. Le passeport n'était exigible que pour la Russie Impériale et la Sublime Porte.

On voyageait avec de l'or dans sa poche et des billets français dans son portefeuille. Nul commerçant au monde ne refusait ce mode de paiement. Depuis 1919, le socialisme, qui s'intitule cependant international, a compliqué singulièrement les relations entre les hommes. Il nous a fait rétrograder aux beaux jours de Philippe le Bel. Le progrès social s'exerce à rebours. Il n'est d'ailleurs qu'une stupidité aboutissant non au bonheur de l'ouvrier, mais à l'omnipotence d'un mandarinat de fonctionnaires. Le plus honnête des socialistes est le plus dur, mais le plus sincère. Il s'appelle Georges Sorel. Il faut lire dans ses *Lettres à Delesalle* comment il explique que l'inflation continue est le moyen technique le plus sûr de nationaliser les biens privés, et comment le vrai moyen de supprimer la misère est de la généraliser. Le peuple ne réclamera jamais le bien-être. Il lui suffit que l'on supprime les gens heureux.

Ce vent de liberté qui soufflait sur l'Europe à la faveur du libéralisme disséminait par le monde les germes de la liberté des moeurs. Ici encore subsistait le principe de certaines conventions. L'opinion admettait toutes les formes réputées normales de l'amour. Elle se scandalisait avec indulgence de la tribaderie. Elle vouait l'homosexualité au mépris, à la honte, au silence.

Elle s'avérait logique en le faisant. Le vice allemand (ainsi l'appelait-on depuis que Maximilien Harden avait, dans son pamphlet, dénoncé les moeurs de l'entourage impérial) n'est qu'une insulte, qu'un blasphème à la femme déifiée par la civilisation. D'autre part, la tribaderie, elle, n'est pas une insulte à l'homme. Elle prépare, pour son meilleur plaisir, des femmes raffinées et d'une extrême acuité voluptueuse.

Rien n'est plus rare chez la femme qu'une haine totale de l'homme, que le lesbianisme exclusif. Celles qui se perdent dans la recherche maniaque de cet absolu sont des femmes dont l'initiation fut sabotée par une brute ou un ignorant, déçues par l'amour lui-même, et qui reviennent à la ligne normale sitôt séduites par le garçon habile et qui sait s'y prendre, les comprendre et les prendre, même les surprendre ce qui revient à les prendre deux fois...

En revanche, les *amphibies* sont innombrables. Elles aiment à la fois la femme et l'homme. Elles demandent surtout à leurs amies de les préparer à recevoir leurs amants. Selon l'expression de Jean Lorrain, *on peut souffler sur le feu, ce qui n'exclut pas la joie d'un bon coup de tison.*

Il est évident que les *amphibies* ont toujours existé et que leurs habitudes, consolatrices peut-être du viol originel, ont été consacrées avec les premières velléités de la civilisation. La littérature réaliste, témoin peu hypocrite des moeurs aux XVIIe et XVIIIe siècles, n'y fait que de très rares allusions. Il nous faut attendre le XIXe siècle pour passer à d'autres exemples que les mythologiques.

La cour de Napoléon III regorgeait d'ambidextres, *d'amphibies.* Vieil-Castel, à leur propos, émet une théorie digne de son oncle Mirabeau, et recueille les confidences du duc de Morny. Cora Pearl insinue dans ses *Mémoires,* d'ailleurs sensiblement truqués, qu'il ne s'agit là que d'habitudes du *high life,* importées des sérails orientaux. C'est ce que je ne crois guère, la tradition hellénique nous suffisant.

Ce qui est certain, nous nous en souvenons. Dès les premières années de notre siècle, chacun était édifié. La lectrice russe de Liane de Pougy nous en suggérait autant que la petite femme de chambre anglaise de Fanny de Tessancourt, que les valseuses du Palais de Glace...

C'est à ce moment-là que, dans l'aurore de ma jeunesse, j'ai connu Colette, grande *amphibie* s'il en fut.

Nous ferons plus loin l'historique de cette entrée en relations. Il suffit à présent d'établir ce qu'était Colette dans cette société d'anarchie aimable et élégante qui peuplait à la fois le monde où l'on s'amuse et la république des lettres.

Rien de plus faux d'ailleurs que telle expression démographique. On ne s'en rend compte que sous la perspective d'un demi-siècle de recul la France était alors infiniment plus civilisée qu'à présent. La notion d'utilité, celle de la collectivité n'existaient pratiquement point. On vivait sous le signe d'une trinité de charme, d'esprit, de talent pour le seul plaisir de vivre, et l'on tenait à la vie parce qu'elle était large et facile.

Ce sont ces libertaires sceptiques, joyeux, intelligents, qui ont vaincu des masses hiérarchisées, mécanisées de guerriers acéphales, et étonné le monde à la Marne, à Verdun.

Il ne faut pas s'y tromper : c'est en chantant les indécences du *Père Dupanloup* et l'infidélité de la *Femme du chef de gare* qu'on a tombé les choristes verdâtres du *Deutschland über alles.* La *Marseillaise* et le *Chant du Départ* ne sont que les éléments d'une mise en scène rapportée.

Vingt-cinq ans plus tard, une république de *front populaire,* de travailleurs conscients et organisés, d'esprits utilitaires, tenta de « remettre cela »... Ses armées se débandèrent honteusement à Sedan, style 1940, non par infériorité d'armements, mais... parce que des hommes risquent volontiers leur peau pour défendre la joie de vivre, de jouir de leur bien, leur liberté individuelle. Ils ne feront jamais le moindre effort pour maintenir un régime qui suppose la nation en esclavage sous le bon plaisir du politicien et sous la férule d'une caste de fonctionnaires.

Depuis Léon Blum, le drapeau tricolore n'est plus, en France, que celui de l'administration détestée.

Ce sont des hommes d'esprit et de plaisir qui ont fait aboutir la Troisième République à son but réel la reprise de la Lorraine annexée et de l'Alsace. Ce sont les moroses citoyens de la justice sociale, du progrès, de la démocratie organisée, du travail glorifié par la grève générale sur le tas, qui ont détalé comme des lapins, non pas lâchement, mais logiquement.

Ils ont fait ce qu'ils pouvaient et devaient d'après l'enseignement reçu...

La civilisation d'Occident a connu son apogée, en France, entre 1900 et 1925, dans la liberté, la liberté de toutes les libertés, sous le signe de l'esprit et du plaisir qui nous valait la prospérité la plus inouïe. Cette même civilisation s'est anéantie sous l'emprise d'une idéologie asiatique, le marxisme, supprimant la liberté individuelle, le bonheur de vivre, et le sens même de la liberté.

Les premières années du XXe siècle consacrent l'apothéose de la civilisation d'Occident. il y a certes des fissures, des fautes de goût, mais l'Athènes de Périclès, la Rome d'Auguste, celle de Léon X, la Florence des Médicis, ne présentent rien de plus parfait.

L'aboutissement d'une civilisation s'affirme par des hommes et par des oeuvres. Parmi ces hommes, il y a des femmes. Et le rôle de ces femmes est d'être représentatives de la volupté, sans laquelle il n'est point de civilisation.

Ce rôle n'exclut ni le talent, ni l'intelligence, bien au contraire !

Et voilà l'aspect sous lequel, vers 1905, j'ai connu Colette. L'événement lui-même est banal. On verra que j'ai subi profondément son attraction, que nous ne fûmes jamais que des camarades, d'ailleurs malgré moi, et qu'elle ne fut pas sans exercer une influence profonde sur mon destin.

Quand j'ai connu Colette, elle dansait. J'emploie le mot dans son sens esthétique le plus large. Il signifie qu'artiste dans toute la force du terme, Colette s'exprimait par la danse. Exactement comme le roi David dansait devant l'Arche, Colette dansait devant ses contemporains, ou, mieux, devant la vie.

Pourquoi danser lorsqu'on dispose du brevet élémentaire ? A présent, les femmes sont poètes, romanciers, philosophes, d'autant mieux qu'elles ignorent la syntaxe, l'orthographe et le sens exact des mots. C'est que la danse présente cet avantage énorme de ne pas être un art intellectuel. Elle est l'incarnation de la musique, qui est le dernier de tous les arts parce qu'il est incapable d'exprimer une idée et réalise, somme toute, une agréable oisiveté de l'esprit.

Mais la musique et la danse abandonnent une part redoutable de leur interprétation à l'instinct, à la puissance intuitive de l'exécution. Les femmes s'y réalisent d'autant mieux qu'en matière d'art elles ne nous disent jamais que ce qu'elles sentent, pour la simple raison qu'elles ne pensent jamais rien. A leur contact tout devient sexuel. Le lyrisme d'Anna de Noailles est celui d'organes perpétuellement en tumulte. Le charme pervers et troublant de Colette ne résulterait que d'une sensualité intime sans cesse en émoi si une application particulière de l'instinct et une absence totale de pudeur, que je constate sans la blâmer, ne lui permettait une force d'introspection supérieure encore à celle de Marcel Proust.

Pour décomposer le jeu de ses sensations, depuis leur origine dans le monde extérieur jusqu'aux tréfonds du mystère de sa chair la plus intime, Colette est un peu là ! Il en résulte de la volupté, des images, des allusions, des illusions, des hallucinations, des émois en tous genres. Il n'en éclôt pas une idée. A plus forte raison pas l'ombre d'un style, pas plus dans la danse que dans l'écriture.

À la scène, Colette mime l'amour comme elle le fait dans le particulier. Sur le papier, elle le décrit comme elle le fait, simplement, sincèrement, sans artifices.

Il en résulte un besoin perpétuel de couper les cheveux en quatre et une indéfinie curiosité qui offre Colette à toutes les sensations. Elle a été *Le Faune* de Francis de Croisset et Jean Nougès. Elle a été l'admirable, l'unique, la sublime Paniska de Charles Van Leerberghe ; elle a été *Phèdre,* transposée dans *Chéri* (1).

Ce sont là des accidents qui se produisent dans les meilleures familles et dont le médiocre fait divers est vite étouffé devant qu'il devienne un scandale. Colette, elle, a rompu le silence avec trois volumes, dont le premier est l'un de ses meilleurs. Elle n'a pas cherché le scandale vu qu'elle ignore ce qu'est le scandale. Elle y a été tout droit dans son plus parfait détachement d'artiste...

Colette a pu écrire les *Sept dialogues de bêtes, La Retraite Sentimentale, Chéri.* Jamais elle n'a été plus absolument belle, envoûtante, que dans le rôle de *Paniska.*

J'ai longtemps cru que Van Leerberghe avait écrit *Pan* pour elle. Il n'en est rien. Pierre Quillard lut la pièce que le Maître de la *Chanson d'Eve* ne songeait même pas à faire représenter, et en parla à Lugné Poë. Celui-ci ne vit dans la pièce qu'une récréation à offrir à Colette. Colette lut, joua, fut victorieuse. Elle m'a confié n'avoir rien composé de son rôle. Je la crus sans difficulté.

Paniska, c'est la romanichelle, la fille sauvage qui, à travers toutes les convenances légales, religieuses, pénales, sociables, de la vie actuelle, subit l'appel irrésistible de l'amour dans le souffle du grand Pan. Elle est réputée sorcière et l'Église réagit non moins que la police.

L'oeuvre, encore que souvent lyrique, est une comédie réaliste. Nul entrepreneur de spectacles n'oserait la reprendre aujourd'hui. Le cléricalisme socialiste est doublement hypocrite.

(1) Il est exact que Colette conçut une première version de ce roman en 1914 et 15, d'après un drame intime dont l'une de ses amies fut l'héroïne, mais elle a refondu cette version et l'a publiée postérieurement à sa propre aventure.

La démocratie est pudique avec une extraordinaire fausseté. La « libre pensée », les Loges, prétendent ne le céder en rien aux sacristies où se marient le matérialisme marxiste au spiritualisme chrétien. On vit dans l'accord secret de l'ail et du patchouli.

Colette, tant à l'officiel Théâtre du Parc de Bruxelles que sur la scène de l'Oeuvre, exalta son rôle jusqu'à l'impudeur, et, pour le maintenir dans cette note-là, elle le dansa.

Dans cette danse, Colette se donnait tout entière.

Elle envoûtait au point que je ne ratai pas une représentation, ni à Paris, ni à Bruxelles.

Après les scènes les plus passionnées, Colette, qui jouait à demi nue, regagnait les coulisses en sueur. Elle répandait autour d'elle une odeur que je n'ai jamais retrouvée et qui m'imprègne encore la narine quand j'y pense.

Je dis à Thérèse Robert, l'amie de Colette, avec laquelle je prolongeais alors, non sans plaisir, un amour de passage :

— Colette sent la femelle en rut.

— Nullement, répondit Thérèse. Elle sent l'homme. Et c'est bien ce qu'elle a de troublant. C'est dans cette odeur qu'est sa magie de séduction. Et tu te rends bien compte qu'elle renferme plus de perversité que d'agrément.

Je me tus. C'était par la faunesse Paniska que j'avais connu Thérèse Robert. Je savais qu'aux charmes monstrueux de Colette, cette jolie fille, *amphibie* s'il en fut jamais, malgré sa fraîcheur et sa grâce, n'était pas insensible.

Les contrastes s'attirent, les valeurs en sens opposé se complètent.

A l'époque du *Faune* et de *Paniska,* nul ne peut dire que Colette fût jolie, voire belle. On verra plus loin ce qu'il faut penser de l'esthétique de son nu dépourvu d'harmonie et d'eurythmie. Mais, sans rechercher l'enchantement du poème, Colette déployait cette élasticité de mouvement qui fait passer, chez beaucoup d'acrobates, sur les déformations inévitables de leur corps, et surtout de leurs jambes.

L'air de flûtes de Colette n'impliquait aucun accord subtil à la Claude Debussy. Ces jambes s'avéraient fortes, visiblement musclées et somme toute assez laides, desservies dans l'arabesque générale, par l'énormité des assises, la convexité accentuée du ventre, la lourdeur des seins, la nodosité des genoux et la laideur des pieds. Mais au moindre mouvement, toute cette plastique se mettait en oeuvre dans un prodigieux élan de vie, une telle lyrique offrande d'elle-même, que seul le mouvement comptait.

Marc-Antoine Bourdelle, qui m'accompagna un soir à une représentation de *Pan,* me confia : « J'ai toujours pensé qu'en statuaire, comme en matière de danse, le mouvement emporte le reste. Pourquoi ? Mais parce que les formes ne sont que les lignes et les plans que la vie met en état de transformation continuelle ».

Bourdelle, je l'ai noté, parlait là comme l'eussent fait Rodin ou Pompon. Sa statuaire révélait, alors, exactement le souci du contraire.

Au seuil de sa gloire, et même après, Bourdelle restait sensible à l'admiration des jeunes et ne détestait point leur société.

Plus tard, j'emmenai un matin Colette chez Bourdelle. Elle lui déplut. A la ville, d'ailleurs, elle désillusionnait tout le monde. Ceci est fatal pour tous les êtres, surtout les femmes, dont on se fait, par des textes journalistiques, les photos retouchées, les charges de la caricature, une idée stéréotypée.

Colette n'avait rien de la mineure libidineuse que de Losques et Sem proposaient en chaussettes à l'excitation facile des vieux messieurs. Elle évoquait la solide, saine, exubérante et disgracieuse paysanne de vingt-neuf ans, culbutable dans les meules de foin par les soirs de canicule. Son accent était atroce, nasillard à la faubourienne. Elle roulait les « *r* » comme une qui se gargarise en parlant. Les gestes des bras et des mains manquaient de douceur et de retenue. Malgré les yeux passionnés, le visage modelé de manière aiguë, sans finesse, le sourire accentué et vif l'éclairant, révélait quelque vulgarité.

Mais la chronique, les Claudine, les échos rosses de la presse, faisaient de Colette l'incarnation de tous les vices, et ceci la laissait admirer avec une sorte de curiosité inquiète, autant qu'elle se sentait obligée de paraître à la hauteur de cette réputation.

Ceux qui savaient, dans l'intimité, la vie de la femme ne pouvaient que sourire de cette façade bizarre.

Colette, d'ailleurs, était-elle une femme ? Certes non, si l'attribut premier d'une femme réside en sa bonté. Je l'ai toujours connue plutôt méchante, mais d'une méchanceté qui n'eut jamais rien de féminin.

Lorsqu'une chatte griffe et mord, ce n'est pas par méchanceté. C'est par réflexe inconscient où l'instinct seul joue son rôle. L'esprit, la raison, la volonté délibérée de faire souffrir, sont absents de ce geste meurtrier. Même dans les moments où mon jeune désir, aveuglé par je ne sais quelle fougue, se ruait vers Colette, je ne l'ai jamais considérée comme une femme, mais elle m'apparaissait sans cesse comme une singulière bête de volupté, comme un monstre lascif.

Sa lubricité était d'ailleurs élémentaire. Elle répandait l'odeur de l'homme en rut, et elle aimait les femmes autant que les hommes. Jeune, il lui fallait les unes et les autres. *Ad augusta per angusta.*

Cette physiologie complexe, je l'ai connue dans le détail, après l'avoir pressentie, par les confidences de Thérèse Robert. Un sentiment profond liait paradoxalement ces deux femmes et, pendant le séjour que je fis avec Thérèse sur la côte belge et le voyage aux Pays-Bas qui s'ensuivit, Thérèse ne cessa de recevoir des lettres de Colette.

Elles étaient passionnées et d'une rare indécence. Colette annonçait au Zoute son arrivée d'un instant à l'autre. Elle avait hâte de s'affaisser dans les bras de Thérèse, mais elle l'enjoignait de rassurer le « gigolo », c'est-à-dire moi.

Thérèse, immanquablement, s'avérait troublée par chacune de ces épistoles. Elle la relisait deux ou trois fois, soupirait, demeurait songeuse, puis, doucement, s'insinuait tout contre moi. Cela m'embêtait, je n'étais point jaloux. Si j'étais excédé, je me jetais dans le travail sans lâcher un mot de la journée, et Thérèse s'éternisait au lit, sûre que je viendrais, en fin de compte, l'y rejoindre.

C'est dans ces conditions-là que fut écrit *L'Eveil du Coeur,* où Thérèse est transposée en *Bobette, petite soeur de la lune,* ce que Colette devina sans peine. On verra plus loin comment elle aida au succès relatif de ce premier roman, non sans avoir fait ce qu'elle pouvait pour m'attirer un duel désagréable.

Elle savait, en vraie chatte, faire alterner la patte de velours et le coup de griffe. L'une lui procurait autant de plaisir que l'autre. Cette bestialité superbe était à langage articulé. Colette avait la canine aiguë et la langue venimeuse. En quatre phrases, elle déchirait un être sans cesser de nasiller, de sourire ni de rouler les « r ».

Dans ce genre de débordements, pas plus que dans le coup de griffe, cette chatte chaude, pour qui la vie n'était qu'un alignement de gouttières, n'apparaissait point réellement responsable.

Un souvenir le prouve. J'étais épris, respectueusement d'ailleurs, du réel talent dramatique de Mme Gabrielle Dorat et j'avais écrit une pièce dans l'ambition qu'elle la jouerait. Je pense, à présent, que le meilleur service que pouvait me rendre Mme Dorat était de ne pas me jouer. Elle en eut le bon goût et la sagesse.

L'un de mes camarades d'alors, nommé Henriot, était un soir tombé aux genoux de la célèbre comédienne, et je pense qu'il y demeura longtemps. Henriot était l'homme le plus charmant, le plus serviable, et il me ménagea la possibilité d'une lecture, à son amie, de ma pièce, et chez elle. Mon ours mal léché n'eut guère la chance de plaire à Mme Dorat. Néanmoins, elle me congédia avec quelques paroles encourageantes que mon optimisme naïf prit pour une acceptation de principe.

Le soir, après avoir été chercher Thérèse au Vaudeville, où elle jouait, je l'amenai au restaurant Vieil. Elle y avait donné rendez-vous à Colette. Celle-ci l'y attendait en compagnie de l'écrivain argentin Gomez Carrillo, mari de Rachel Mêler, et qui, toute sa vie, fut pour Colette un ami très dévoué.

En soupant, je parlai de ma lecture de l'après-midi, de l'accueil de Mme Dorziat, ce qui mit Colette, sans aucun motif, dans un accès de rage froide. Elle s'en prit à Mme Dorziat, dont elle parla en mâchant du feu, et surtout à Henrot, dont, au bout de cinq minutes d'accusations plus atroces les unes que les autres, il ne resta absolument rien, tant Colette l'avait lacéré.

Gomez Carillo, philosophe, fumait son cigare sans perdre le sourire. Thérèse me regardait. Colette finit par se taire. Sa dernière syllabe n'était pas achevée que je lui dis sur le ton de quelqu'un qui l'approuvait : « Tu oublies que grâce à un poison subtil que Mme Dorziat est la seule à détenir, Henrot a pu assassiner sa mère, un oncle et une tante, dont il devint l'héritier dans l'espace de trois mois... ».

Je vois et j'entends toujours Colette, haletante, me confirmant : « Parrrfait'ment. Tu as rrraison. J'avais oublié de le dirrre ».

Il est clair qu'en parlant comme elle l'avait fait de deux êtres des plus honorables, Colette ne savait même pas ce qu'elle disait. En revanche elle savait ce qu'elle souhaitait être vrai et qui ne l'était pas.

Le malheur est que Colette n'était pas seulement diffamatrice, mais qu'elle l'était avec chaleur, avec talent, avec... une sorte d'assaisonnement de fausse sincérité capable de donner l'illusion de la vraie.

Au fur et à mesure que se confirma sa maturité, et l'on sait si elle évolua longtemps, Colette devait se complaire dans cette confusion de deux sincérités, également perfides et équivoques.

Il en résulta une réputation de rosserie, de méchanceté parfaitement méritée. La moindre de ses conversations empoisonnait tout : le sujet, les personnes mises en cause, l'atmosphère. Le moindre entretien invitait à vomir. La robuste et sensuelle paysanne devenait une sorte de mégère de village dont la seule activité était de brouiller partout la bonne entente, l'amitié, la confiance, et de pêcher dans la discorde comme en eau trouble.

Aux pires heures de l'occupation, Sacha Guitry apprit que Colette était dans l'angoisse. Son mari, de famille israélite, se trouvait menacé d'arrestation et de déportation. Sacha Guitry rassure Colette, se démène, comme il l'a fait pour Tristan Bernard, et tire l'époux d'affaire.

Au cours d'une visite, l'auteur de *la Pèlerine Ecossaise* est ému par l'état de dépression de l'auteur de *Chéri*. Il la remonte de son mieux et l'emmène déjeuner en tête à tête chez Drouant. Là, il lui dit : « Ce menu m'a tout l'air de vous plaire. Il nous arrive, à dix, de déjeuner ici plusieurs fois par an. Les *dix* ne sont plus que neuf. Il y a une place pour vous. Dites oui, je me charge du reste ».

Colette doit son couvert du déjeuner Goncourt à la triple initiative de Sacha Guitry, de Jean de La Varende et de René Benjamin. Par eux, en l'honneur de Colette, la surprenante consigne d'Edmond de Goncourt : « Pas de femmes, pas de juifs » fut violée pour la seconde fois.

Avant, les *Dix* avaient appelé Judith Gautier à remplacer son père, mort trop tôt pour en être de la fondation.

On sait comment Colette remercia Sacha Guitry, La Varende et René Benjamin. Pas une seconde, elle ne se rendit compte de ce que son ingratitude devait refléter d'odieux.

La chatte n'est jamais qu'une panthère en puissance. La panthère se déshonora aussi inconsciemment qu'elle aidait à déshonorer son académie. Elle mena d'ailleurs son opération avec une duplicité inouïe, avec le premier souci de conserver des amis dans les deux camps, neutralisant les uns par les autres.

Le décès de René Benjamin, la démission de La Varende, écoeuré, lui permirent de s'affirmer grande résistante. Les Allemands, toute l'occupation durant, avaient donné suite favorable aux moindres des sollicitations dont elle les avait harcelés.

Cette perfidie naturelle n'est pas strictement imputable à la volonté de nuire. Elle jaillit des profondeurs de l'instinct d'une bête qui, pas plus que les autres bêtes, ne peut se prévaloir de sens moral.

Sacha Guitry a pardonné à Colette, parce qu'il est sceptique, psychologue, et comprend les êtres, leur mécanisme secret.

Jean de La Varende, lui, a pardonné par habitude chrétienne, et aussi parce qu'un certain pardon n'exclut pas une nuance de mépris.

Je n'ai rien à voir avec l'Académie Goncourt. Dans des sphères différentes, je n'ai que l'embarras du choix pour savoir ce que j'ai à pardonner à Colette. Je lui pardonne tout, en bloc, à présent qu'elle est morte.

Sacha Guitry et La Varende sont dans la tradition catholique. Ils pardonnent. Moi, qui viens de la tradition réformée, je pardonne aussi à mes ennemis, mais du jour de leur trépas. De la sorte, je trouve sûreté. Avec Colette disparaît une perverse rosse. Je n'irai pas jusqu'à dire que cette mauvaise jument ait été foncièrement une méchante femme.

Elle a dû gagner sa vie âprement ; sa vie et celle des autres. En langage usuel cela s'appelle « se défendre ». Et il n'y a, dans la lutte, qu'une vraie manière de se défendre : attaquer.

Lorsque, comme on le verra par la suite, Colette harcelait Willy impotent, puis mort, c'était, après s'être assurée, par la complicité de Robert de La Vaissière, qu'il ne répondrait pas, et qu'il avait pris des mesures pour que personne, lorsqu'il n'y serait plus, ne répondrait pour lui.

La réponse eût été simple : les lettres désespérées de Colette au moment de la séparation, où elle supplie son mari de la reprendre et déclare qu'elle lui doit tout, et la production des manuscrits authentiques des *Claudine,* des cahiers d'écolier, couverture en toile cirée noire.

Tout, à l'origine, est incontestablement de l'écriture de Colette. Les quatre cinquièmes de ces textes sont barrés à l'encre violette et refaits en pattes de mouches de la même encre où le moindre amateur d'autographes reconnaît la main de Jim Sminley, d'Henry Parville, d'Henri Maugis et d'Henri Gauthier-Villars, habituels collaborateurs de Willy.

Les retouches que Willy apportait aux manuscrits qui lui étaient soumis révèlent précisément l'estampille royale de l'écrivain-né.

Voici un exemple entre mille : P.-J. Toulet soumet un jour à Willy le texte définitif d'une de ses plus belles réussites : *Les trois impostures.* Willy ajuste son monocle, ouvre le manuscrit et tombe sur cette dédicace :

> *à l'amie qui me l'inspira,*
> *J'offre ce mauvais livre.*
>   *P.-J. T.*

Willy fronce le sourcil, biffe ce texte au crayon rouge, et le reprend sous cette forme.

> *Ce mauvais livre est dédié*
> *à mon amie, et à sa mère.*
>   P.-J. T.

La virgule est géniale de race et d'originalité. C'est ainsi que Willy a « refait » les *Claudine* qui, sans lui, ne seraient qu'un récit curieux, mais banal, d'auteur inexpérimenté.

Willy, écrivant à la manière d'un maître, sa connaissance des choses est toujours profonde et juste. Sa vision précise, sa compréhension lumineuse. Il réalise parfaitement l'esprit critique qui, vers 1896, est l'esprit qui fait prime, par exemple sous la signature de Jules Lemaître.

Willy a la notion érudite et classique des choses. Ce qui lui manque ? L'imagination. Il est de ces créateurs dont parle Jules Lemaître, plaidant lui-même pas mal pour sa chapelle, qui ne créent vraiment qu'en mettant au point le travail des autres. Voilà le cas des vrais critiques. Ils lisent un texte. Ils constatent qu'un auteur naïf, mais sincère ou inspiré, y est passé juste à côté du chef-d'oeuvre. Quand on aime vraiment les lettres, il est difficile de résister au désir de mener de telles intentions à l'oeuvre faite, surtout si elles ne sont pas les vôtres.

C'est pour pas mal de livres, et surtout pour les *Claudine*, l'aventure de Willy. Colette a été, pour lui, un document vivant.

Le premier venu qui jouit d'un peu de science de la chose littéraire peut se rendre compte de la part fondamentale qui est à Willy dans la série des *Claudine*. Il suffit de lire *Claudine à l'École* et, par exemple, les nouvelles des *Vrilles de la Vigne*, qui sont le premier livre de Colette affranchie définitivement de l'influence de Willy, à condition qu'elle s'en fût jamais complètement libérée.

Cette confrontation met le lecteur devant deux manières de travailler, de sentir, de voir et d'écrire.

L'une, aiguë, lumineuse, caricaturale s'il le faut, nous place, en pleine objectivité, dans le réalisme incisif, le jeu du burin, de la pointe sèche, qui est celui de Willy et d'Henri de Toulouse-Lautrec. L'oeuvre, vouée à l'aphorisme, au trait définitif, dans une note de fantaisie qui sent son XVIIIe siècle, est celle d'un moraliste à rebours.

L'autre est une évocation impressionniste de la réalité, notée hâtivement par détails juxtaposés, et son charme, absolument veuf de pensée, d'idées, réside dans le fait que l'auteur ne conçoit les êtres, les choses, le monde, qu'à la lumière, ou que dans la pénombre de sa sensibilité la plus intime. C'est le règne souverain du *je* et du *moi* que Pascal déclare haïssables, mais dont nos lettres contemporaines s'accommodent facilement. La vie y est, certes. Elle réside dans une série de photos instantanées, et dans la « phonographie » de conversations entendues. Rien n'y révèle cette unité de facture, cette sécheresse de forme que le génie classique assure à la sensibilité qui s'exprime. Deux mérites : l'observation serrée, et cette faculté si curieuse de voir clair non ailleurs qu'en soi-même et qui tient lieu d'intelligence et de compréhension.

Colette n'est vraiment intelligente que dans la méchanceté. Elle est son stimulant. La chatte hargneuse, toujours, non pas toute la chatte, car il y a bien autre chose dans une chatte que ses coups de griffe...

Willy m'a toujours affirmé que *Sept dialogues de bêtes* et *la Retraite sentimentale* sont entièrement de la main de Colette. Il faut bien le croire. Mais au moment où, à quelques mois de distance, ces livres parurent, Colette, séparée de Willy, sortait d'avoir été sa femme pendant plus de dix ans. Le mariage avait été célébré en 1893 (1). Willy avait donc eu tout le loisir d'apprendre son métier de romancière à Colette, qui l'ignorait, et les deux chefs-d'oeuvre susnommés, que jamais Colette ne devait dépasser, sauf, peut-être, dans *Chéri*, portent, dans des formules concrètes, la dure marque de Willy.

_____

(1) Née en 1873 Colette était donc majeure le jour de son mariage et nullement émancipée moins de dix-sept ans » comme elle l'a écrit et raconté, même aux auditeurs de la radio autant qu'à tout le monde.

Si Willy témoigne d'une solide philosophie du plaisir, Colette y oppose une subtile expérience de la volupté. L'attrait de cette expérience est d'être précoce. L'art de Colette fut de maintenir longtemps l'illusion de cette précocité.

Au moment du divorce, la trentaine dépassée, après toutes les curiosités satisfaites d'un sexe perpétuellement en éveil, elle se débauchait en mineure. Cette mineure était un faux poids. Elle était d'ailleurs mue par des sentiments assez vils, excusables seulement chez une gamine.

« L'honneur de Colette, disait, en tranchant, M. Léon Bailby, reste d'avoir été sincère dans ses erreurs et désintéressée dans ses amours ».

Pour connaître beaucoup Colette, M. Léon Bailby la connaissait assez mal. Il s'en faisait l'une de ces idées toutes faites, issues d'une définition, alors que l'indépendance de son esprit et son talent de journaliste ont toujours combattu ces idées. M. Léon Bailby ignorait le caractère *chatte* de celle que sa réclame et sa générosité financière devaient métamorphoser en cabotine, en auteur dramatique, en écrivain, en directrice d'un Institut de Beauté, puis restituer à la production littéraire.

La *chatte* était envieuse et griffait. Livrée à elle-même, c'est-à-dire à la bohême et à la dèche, après avoir déçu, on verra comment, l'amour d'un garçon très millionnaire, compréhensif, affectueux, tendre, plein d'esprit et beau, qui l'adorait, Colette ne cherchait qu'à nuire à celles de ses amies plus riches et plus heureuses qu'elle, et qui, confiantes, à l'occasion, l'aidaient matériellement.

Je nommerai Polaire, parce que l'exemple de la perfidie de Colette, dont elle fut la victime, entre dans le cadre des choses vues et entendues par moi. On verra les relations bizarres que je n'ai cessé d'entretenir avec Polaire de son vivant. *Elle* était intermittente en toutes choses et surtout dans l'amitié.

A l'époque du divorce Willy-Colette, Polaire était riche, c'est-à-dire que beaucoup d'argent lui passait par les mains.

Polaire était, en outre, d'un tempérament que je n'ai connu qu'à elle. Elle ne pouvait s'attacher qu'à un garçon jeune, qu'elle comblait de ses sonnants et trébuchants bienfaits. Et, naturellement, les sommes importantes que Polaire consacrait à ces pittoresques caprices provenaient des libéralités d'un protecteur sérieux.

Willy, c'était de notoriété publique, avait été l'amant de Polaire, son interprète dans *Le Friquet,* comédie curieuse et habile, tirée d'un roman de sa grande amie Gyp (la comtesse de Martel-Janville, née Mirabeau).

Cette liaison n'avait duré que son temps et n'empêchait pas Polaire d'être l'intime du ménage. Willy emmenait les deux femmes souper, après le spectacle, les produisait au pesage de Longchamp ou d'Auteuil, dans toutes les exhibitions de la vie parisienne.

Willy, ai-je dit, fut l'amant de Polaire. On a beaucoup raconté la même chose de Colette. Mon intimité avec Polaire, qui ne s'est jamais cachée d'estimer ce genre d'ébats tout naturel, me permit de lui en parler et de mettre l'aventure au point. Il n'y eut pas à proprement parler de liaison. Il n'y eut qu'un essai. Et cet essai faillit tourner mal.

Polaire, comme Colette, était *amphibie.* Elle procéda à un essai de Colette et, satisfaite de ses services érotiques, elle constata qu'après les avoir éprouvés, il ne manquait à son bonheur qu'un petit homme.

Colette, sans en faire part à sa partenaire, se retira avec la même impression.

Or, à l'époque, dans le joli pavillon de la rue Lord Byron, qui abritait son sérail masculin, Polaire entretenait sur un grand pied le fils bien balancé d'un prospère épicier de Paris, dont les dix-neuf printemps lui avaient tourné la tête.

Ce gigolo, que j'ai connu, était intellectuellement impérieux et nul, de coeur veule, mais prestigieusement beau et d'une souplesse de jaguar. Polaire, férocement jalouse de ce fauve, ne songea qu'au plaisir qu'elle retirerait de lui, après celui, préparatoire, dispensé par Colette.

Elle organisa gentiment sa petite orgie, qui se fût terminée dans le ravissement, pour elle tout au moins, si le gamin, lui ayant pris et rendu sa volupté, et qu'elle croyait hors de combat, ne se fût avisé d'infliger à Colette un traitement identique.

Polaire, en proie à une crise de jalousie aiguë, sortant du cabinet de toilette, une serviette éponge entre les cuisses, les surprit dans une posture qui ne laissait aucun doute sur ce qu'ils venaient de faire et s'apprêtaient peut-être à recommencer... Ivre, folle, elle sauta sur Colette, qui se défendit.

Les deux nymphes se frappèrent, s'arrachèrent des cheveux, se griffèrent, et Polaire porta le coup du K. O. en gratifiant Colette d'un oeil au beurre noir, avec lequel je l'ai vue...

Elles se réconcilièrent deux jours plus tard. Polaire, intelligente, bonne fille, se rendit compte qu'elle n'était victime que de son imprudence. Et Colette s'écria « C'est égal, tu m'as mis un marron ! ».

Ce ne fut le mot de la fin que pour Polaire. De cette réconciliation, Colette n'eut qu'un souci : brouiller Polaire avec le petit maquereau qu'elle adorait.

Elle lui fit écrire, sachant qu'elles seraient interceptées, les lettres les plus compromettantes par les actricettes les plus louches des Music-Halls, savourant la souffrance de Polaire et s'en informant, en même temps d'ailleurs qu'elle obtenait d'elle un service d'argent.

Et, pour compliquer la situation, Colette exigeait d'un garçon qui lui faisait la cour, Willy de Blest-Gana, qu'il mît au courant M. Jules Porgès, le richissime marchand de cognac, de l'emploi que faisait Polaire de ses largesses.

Willy de Blest-Gana, de la sorte, se dégoûta de Colette. Il était le plus galant homme du monde et me confia le singulier mouchardage que l'on voulait imposer à sa délicatesse.

Je lui glissai : « Je vous comprends et vous connais trop pour que vous ayez à vous justifier à mes yeux. Mais, à supposer, par impossible, que vous eussiez fait ce que Colette vous demandait, je suis absolument sûr que vous n'eussiez pas instruit d'un détail l'honorable M. Jules Porgès ».

Blest-Gana me demanda, dès lors :

Vous, qui m'avez tout l'air de bien la connaître, pouvez-vous me dire ce qui pousse Colette à agir aussi bassement ?

— C'est tout clair, mon cher, répondis-je. Polaire est riche, Colette n'a pas le sou et n'admet pas ce genre d'inégalité. Son instinct la pousse obscurément à remédier à cette situation, non en faisant son bonheur et sa fortune, comme elle en eut l'occasion récente, mais en détruisant le bonheur et la fortune d'une amie comblée.

On sait que je ne disais que l'élémentaire vérité.

Il y a fatalement une inconscience totale dans les réflexes de l'instinct. Je ne connais, de la vie de Colette, que l'enchaînement indéfini de ces réflexes-là. J'ai voulu, dès le début, présenter au lecteur quelques traits qui l'édifient sur le caractère de la femme. Ils vont me permettre, avec plus de précision, d'en présenter d'autres, qui expliqueront sa vie, ou tout au moins les épisodes de cette vie dont j'ai été le témoin.

Je n'ai jamais cru que le sens moral fût inhérent à la nature de l'homme. J'ai toujours pensé que la morale dogmatique n'est qu'une idéologie, et je dois avoir raison en le pensant puisque, dans la pratique courante de la vie, on la remplace par la morale naturelle.

Cette morale naturelle présente à peu près l'aspect de la civilité puérile et honnête, de la délicatesse, du tact, de la discipline, des notions d'intérêt. L'homme est un animal sociable. S'il vit en société, c'est que cette vie présente pour lui des avantages nécessaires. La contrepartie de ces avantages est nécessairement dans quelques concessions.

La morale est donc une transaction entre l'individu et la société.

L'avantage d'une transaction, c'est qu'elle rapporte plus qu'elle ne coûte. L'inconvénient de la morale est d'être une transaction imposée et non librement consentie. C'est l'éducation qui nous prépare à cette transaction-là.

D'autre part, l'éducation n'atteint que des êtres malléables, ceux qui sont prédestinés à la recevoir par le sens inné du tact, cette intelligence du coeur, et les dons du coeur lui-même.

Il est des êtres forts, des individualités irréductibles qui, se refusant même à envisager une transaction, se placent d'eux-mêmes en marge. Ceci nullement pour avoir réfléchi sur la grandeur des principes d'anarchie, des doctrines sociales. Un anarchiste est un honnête homme qui peut se prévaloir d'une conscience assez forte pour prétendre à se discipliner lui-même. Il y en a peu. Ceux qui y parviennent méritent un coup de chapeau. Ce sont des êtres complets.

Colette est tout le contraire.

Elle ignore les autres. Elle ne peut les observer, les concevoir que par rapport à elle-même. Lisez par rapport à l'agrément, aux avantages pratiques, à l'argent qu'elle peut en tirer. La preuve en existe dans son oeuvre, où elle se met perpétuellement en scène, et où seul vit, vraiment, le personnage central qu'elle y représente. Les autres personnages sont falots, sauf ceux qui ont une importance à son propre point de vue.

C'est presque un lieu commun de dire que Colette n'a aucun tact. Elle méconnaît ses voisins, la collectivité. Sa conversation, sa manière d'être, — c'est-à-dire ce qu'on appelle assez laidement le comportement, —ignorent les lois de la politesse, les us et coutumes de la sociabilité. Son esprit consiste, comme on dit, à mettre perpétuellement les pieds dans le plat. La gaffe préméditée et le petit scandale. Ce n'est que du moment où celui-ci s'est produit qu'elle est satisfaite, qu'elle triomphe, qu'elle s'épanouit...

A cette mentalité se joint, avec l'accent bourguignon, une expression faubourienne assaisonnée d'une extraordinaire crudité de vocabulaire. Mais tout passe, surtout le débinage, la divulgation méchante, la calomnie systématique, parce que la *garce* a le sens du pittoresque et un redoutable tempérament.

J'ai dit qu'elle est prodigieusement douée pour voir clair en elle, et si elle y voit clair à ce point, c'est qu'elle est prisonnière d'elle-même. Elle est incapable d'en sortir.

Le goût du poème, du songe ? Non pas. La résultante simplement de l'égoïsme le plus féroce, le plus absolu. Colette esthétiquement, pratiquement, est son propre univers. Elle en déplace avec elle-même le temps, l'espace, l'ombre et la lumière, avec une seule préoccupation permanente : celle des comptes qu'elle s'imagine avoir à régler.

Du cœur ? Toutes les femmes en ont, chacune à sa manière. Colette s'imagine en avoir dans ses périodes de disgrâce, *d'embêtements* en tous genres, et Dieu sait si elle parvient à s'en créer ! — à force d'évaluer ses malheurs, de pleurer sur elle-même.

On m'objectera son plus bel aspect : la travailleuse. Cet acharnement au travail apparaît surtout chez Colette un peu après sa séparation d'avec Willy et sa brouille avec Mme de Belbeuf, le jour où il lui faut se débrouiller.

Là, elle est prodigieuse. Il lui faut produire. Il lui faut suppléer à tout ce que Willy faisait pour elle (1).

Et, financièrement, Colette ne connaît que des désillusions. H... et ses millions ? Voilà qui la tente. Mais quel esclavage que d'être aimée par un archimillionnaire, qui fait tout ce que vous désirez, qui prévient même vos désirs ! Ce n'est plus une vie que de ne pas combattre.

Elle épouse Henri de Jouvenel, prodigue, qui n'a jamais le sou, qui gagne un demi million par an et dépense sept ou huit cent mille francs. Voilà du sport. Le stylo à la main, Colette bouchera les trous.

Elle aime Henri de Jouvenel parce qu'elle est convaincue qu'elle le domine. Pour Colette, aimer c'est asservir, et c'est dominer.

Elle finira par épouser un petit courtier en perles fines, qui s'acquittera de sa charge avec un estimable dévouement et une discrétion qui prouve son tact.

Il s'agit, en somme, de l'état d'esprit de M. Perrichon. Que deviennent vite embêtants les gens qui vous ont obligée ! On ne peut songer à eux sans se les figurer là, devant soi, la facture des services rendus à la main ! Parlez plutôt à Colette des rares êtres qu'elle aida. Ceux-là sont la preuve vivante de son mérite, ses faits d'armes. Ils attestent la puissance, l'autorité, le prestige de Colette, la seule, l'unique, merveille d'égocentrisme, pléthore d'égoïsme superbe et fécond.

(1)   Jusqu'à sa fameuse rubrique du Gil *Blas, Claudine au Concert,* dont Colette n'a jamais écrit un mot. Ignorante des questions musicales, quoique sensible à la musique, elle en eût été absolument incapable.

Jamais égoïsme plus cynique n'a plus monstrueusement déformé une vie, un être. C'est dans cet égoïsme d'instinct que réside tout ce que Colette a d'intelligence et d'esprit.

Le mécanisme d'une telle mentalité est facilement décomposable, car l'égoïsme est rayonnant et conquérant dès qu'il est tisonné par l'envie. Et, dès lors, ce mélange d'égoïsme et d'envie engendre la haine la plus atroce parce que la plus sotte et la plus sordide.

Egoïsme, envie, haine, voilà le marécage que Colette appelle son âme.

C'est en 1922, dans un Paris à peine remis des émotions de la guerre, que je retrouvai Colette, récente « barrronne » de Jouvenel. Elle habitait boulevard Suchet. Je me trouvais être son voisin, boulevard Lannes.

J'étais jeune marié, époux très amoureux d'une beauté éprise, timide, charmante, d'un naturel un peu jaloux.

Par hasard, je rencontrai Colette. Nous échangeâmes nos nouvelles et nos adresses.

Un jour, une personne de service m'apporta un pli de Colette pendant que je déjeunais. Elle me priait de venir la voir vers trois heures de l'après-midi, à quoi je ne manquai.

Elle me reçut gentiment, mais remplaçant par un *vous,* cérémonieux à peine, le tutoiement qui avait longtemps donné le ton à nos anciennes relations. Elle s'informa de mes travaux, de mes ambitions du moment, de mon bonheur en ménage; puis, de but en blanc, me demanda si j'étais en bons termes avec Aline de B....

La question ne me surprit qu'à demi. Cette jeune actrice, recommandable par sa beauté, son élégance et sa grâce, venait de créer, huit jours plus tôt, une pièce de moi : *L'Avenir d'un jeune homme,* au *Théatre Impérial.*

Je répondis à Colette que j'avais été présenté à cette aimable enfant par Mme Saint-Pohl, directrice du théâtre, le jour de la distribution des rôles ; que je l'avais agréée comme interprète et vue deux ou trois fois aux répétitions, car je n'étais pas le metteur en scène de ma pièce.

Colette me répondit : « Imaginez-vous que cette petite garce a débuté, voici sept ans, en jouant un acte de Monsieur Willy *(sic)* à la *Comédie-Royale.* Exactement pendant l'hiver qui précéda la guerre. C'était sa manière de me remercier de m'être intéressée à elle, fraîchement issue de la loge de sa mère, pipelette rue Marbeuf. Elle avait quinze ans quand je lui offris son premier chapeau. Je l'envoyai à Georges Berr, qui la fit travailler dans sa classe de comédie ».

Sans que Colette insistât, je m'imaginai d'instinct la nature de l'intérêt qu'elle avait pris aux quinze printemps de mon interprète en des temps périmés.

Colette poursuivit :

— Votre *(sic)* Aline est actuellement entretenue par un ploutocrate de l'industrie. Mais elle a aussi un amant de cœur. C'est Adhémar de Montgon, rédacteur en chef du *Petit Bleu.* Ce quotidien, depuis quelques jours, amorce contre moi une campagne de chantage à propos de vieilles rengaines que la chère enfant est la seule de Paris à pouvoir documenter. Je n'ai peur de rien, naturellement, mais j'ai horreur des embêtements. En outre, j'ai un mari, une situation, une famille. Etes-vous l'homme à voir ça ?

Mon dérangement ne fut pas considérable. Je me rendis rue Grange-Batelière, à la rédaction du *Petit Bleu.* Je connaissais fort bien Adhémar de Montgon, l'homme le plus aimable et le plus correct, et marquis un peu plus que Colette n'était baronne. Adhémar de Montgon, grand érudit, nature franche et loyale, n'a jamais eu au cœur qu'un amour, celui de sa femme exquise, fille de l'historien Lenôtre.

Montgon n'avait même pas remarqué les trois « échos », d'ailleurs rosses, qui empoisonnaient Colette. Il consulta la collection du *Petit Bleu,* me promit de faire cesser cette campagne de coups d'épingles et tint parole.

Pour le reste, voici : jamais Adhémar de Montgon n'avait été l'amant de mon interprète. Il l'avait vue pour la première fois à la répétition générale de ma pièce, où il accompagnait l'amant de la belle, M. S..., qui subventionnait à la fois le *Théâtre Impérial* et le *Petit Bleu*. Ce journal avait fait, évidemment, de ma pièce et de son animatrice un éloge démesuré.

Le complément de l'enquête me fut facile à établir. La mère de la jeune Aime, concierge de l'immeuble de la rue Marbeuf, où Mme de Morny, épouse séparée du marquis de Belbeuf, avait, dix ans plus tôt habité avec Colette, estimait que sa fillette et deux de ses petites copines rendaient à ses locataires des visites trop longues et trop fréquentes. Elle finit par se fâcher. Et l'on ne parla plus de rien.

Deux jours après qu'elle m'eût confié la mission conciliatrice, je me rendis chez Colette pour la tranquilliser. Elle me remercia de manière étrange avec ce cri du coeur : « Vous voilà trrrop instrrrruit *(sic)*. Vous avez barrre surrr moi! »

Je répondis en me fâchant. Elle tenta de me calmer en me disant :

— J'ai voulu rrrirrre ! Dites-moi ce que je puis, à mon tourrr, pourrr vous êtrrre agrrrréable.

Je haussai les épaules et lui répliquai :

— C'est tout simple. Vous avez la direction littéraire du *Matin*. Prenez-moi des contes.

— D'accorrrd, me dit-elle. Un parrr mois ? Et vous me les déposerez ici, sous enveloppe, carrr, au *Matin*, j'ai un prrré-lecteur qui escamote la moitié de ce qui m'est envoyé.

Je déposai chez Colette un conte où je mettais en scène des émigrés russes. Elle m'en accusa réception sans motif. « Ce conte m'emballe. Il est épatant » (sic).

Trois jours plus tard, nouvelle lettre, avec l'épreuve : *Faites-m'en souvent de cette qualité. Dans celui-ci, coupez quinze lignes. Ne me rapportez rien. Je passerai chez vous vers six heures. Il n'y aura personne chez moi jusqu'à demain soir.*

J'avais rendez-vous à cinq heures et demie rue de Châteaudun. Il pleuvait à torrents, et l'averse cloîtrait mon épouse chez elle. Je lui remis mon épreuve en la priant de m'excuser auprès de Colette, qu'elle reçut, et dont elle fit ainsi la connaissance.

Elles bavardèrent. Colette séduite regarda la pendule à regret.

Ma femme lui dit : « Mon mari ne va plus se faire attendre...

Peut-être a-t-il éprouvé quelque difficulté à héler un taxi ».

A tant de bonne foi conjugale, et d'ailleurs méritée. Colette répondit : « Votre mari ? Mais je le connais depuis plus longtemps que vous. Un taxi ? Allons donc ! Selon son habitude, il s'attarde chez une maîtresse quelconque ».

Elle éclata de rire, tandis que ma femme se mettait à pleurer... Et j'entendis, en pénétrant dans la pièce, le roulement de tambour familier de Colette : « Voyons, ma petite... J'ai voulu rrrirrre ! Les hommes sont d'ailleurs tous les mêmes. Ils ne mérritent pas nos larrrmes... ».

Je ne comprenais absolument rien à ce qui se passait. Ma femme dérobait son visage à mon baiser.

Ce fut Colette qui me mit au courant : « J'ai voulu rrrirrre ! ». Elle s'imaginait de la meilleure foi du monde que cet aveu la rattrapait.

Désireux de détourner la conversation, je demandai à Colette comment elle se portait. Je savais la facilité avec laquelle elle parlait d'elle-même et son plaisir d'animer une conversation dont elle fait le sujet. Elle me confia qu'elle était en plein désarroi. Son mari conférenciait à Rouen, où il passerait la nuit. Elle attendait le lendemain une nouvelle cuisinière, et elle avait accordé un congé, jusqu'à minuit, à sa femme de chambre, appelée chez sa mère. Elle en était réduite, une fois arrivée chez elle, à se faire cuire deux oeufs...

Mon épouse la coupa : « C'est tout simple, me dit-elle. Mme de Jouvenel va rester dîner avec nous. Je ne crois pas qu'il y ait grand'chose. Mais la pluie ne tombe plus. Amenez-nous toutes les deux dîner au *Petit Durand*, avenue Victor-Hugo ».

Je ne pus qu'agréer cette proposition qui ne me faisait aucun plaisir.

Le dîner, très simple, ne fut pas ennuyeux pour un sou. Colette parla d'elle, mais elle en parla bien.

Ma femme l'écoutait avec étonnement. Il y avait dans le maintien, dans le dans l'accent de la discoureuse, quelque chose d'inaccoutumé pour mon épouse et qu'elle n'aurait pas cru possible du moins dans la société où nous vivions. Elle n'avait jamais supposé que tant de spontanéité, quelquefois truculente, pût vaincre des conventions à ses yeux sacro-saintes.

A moi, Colette n'apprenait rien, sans doute; mais elle me mettait de bonne humeur. Rien ne plaisait à ma femme comme dîner au restaurant. Dieu sait si, de ce plaisir j'étais blasé ! Mais il fallait la mettre dans de bonnes dispositions. Je savais qu'elle admettrait difficilement d'avoir pleuré pour rien.

Le café pris, les cigarettes fumées, nous accompagnâmes Colette jusqu'à la porte de l'hôtel du boulevard Suchet. Elle prétendit nous y faire entrer. Nous pénétrâmes dans cette maison toute blanche à la lueur des réverbères, à l'intérieur de laquelle régnait une obscurité totale. Nous nous faisions un peu l'effet d'être des cambrioleurs. Colette nous mena droit dans sa chambre, au lit défait, et où régnait un infini désordre de linge sale, de piles de bouquins non coupés, de flacons de cérébrine, de boîtes de poudre de Caron, de flacons de parfums, aux stylos épars de manuscrits...

Nous nous assîmes tant bien que mal. Ayant jeté son imperméable et son chapeau n'importe où, Colette disparut et revint avec des verres, une bouteille : « C'est l'armagnac d'Henrrri... C'est du *torrrdu !* ».

Elle nous garda jusqu'à deux heures du matin, puis nous reconduisit jusqu'à la porte d'entrée.

— Bonsoirrr, mes petits. Vous allez dorrrmir à deux, veinards !

Puis, embrassant ma femme, elle lui baisa doucement les joues, et nous congédia eu lui donnant ce conseil

— Ne crrraignez pas de le fatiguer un peu, ce garrrçon-là. Voyez-vous, il n'y a que cela dans la vie.

Nous nous mîmes en marche dans la nuit sans lune. Le Bois de Boulogne exhalait une humidité chaude. Ma femme refusa le bras que je lui offrais. Au bout de quelques pas, soudain amère et triste, elle commença l'une de ces scènes de jalousie auxquelles on répond difficilement parce qu'elles n'ont aucun sens. Il vaut mieux, du reste, ne pas y répondre. Le feu couvert, comme l'autre, consume ce qui lui reste à brûler et finit par s'éteindre.

Je garde un souvenir toujours mélancolique de ce soir-là. C'est la première scène que me fit subir une épouse que j'aimais. J'avais eu l'imprudence d'offrir à Colette le spectacle d'une femme éprise parée de toutes les grâces, dans un intérieur confortable et fleuri. Il fallait qu'elle y laissât une morsure envenimée. Sa sottise méchante, son plaisir de faire le mal pour la simple satisfaction de le faire valut une première déchirure à la page toute blanche d'une intacte félicité...

Je me permis, à peu de jours plus loin, de reprocher la chose à Colette. Elle me répondit :

— Est-ce donc ma faute si votre femme est idiote ? Sur quoi je m'étonnai de ne pas l'entendre ajouter qu'elle ne m'en voulait point.

On sait que ce mariage avec Henri de Jouvenel infligea à Colette l'épreuve de la maternité. Jouvenel, qui, à la longue, avait fini par découvrir le caractère de sa femme, attendait de la naissance de son enfant un renouveau total de l'âme de Colette. Il fut déçu. Il en résulta plutôt un regain de méchanceté...

Cette méchanceté s'avérait d'ordre spécial. Colette la couvait pendant quelques jours, après quoi elle s'échappait de son sein par fusées, et ces fusées, lâchées au petit bonheur, incendiaient le premier venu.

Colette devenait ainsi l'alliée idéale, la partenaire rêvée pour l'une de ces maffias littéraires, qui ne sont que des associations occultes d'admiration mutuelle et de publicité réciproque. Elle s'engagea à fond dans l'une d'elles, et, dans une sorte de saut de carpe auquel je n'ai jamais rien compris, elle déclara mon *boycott*.

Je me bornai à réagir par un haussement d'épaules. Ce ne fut que quelques mois plus tard que je fus au courant.

Le *Bureau des Oeuvres Françaises à l'Etranger* du Quai d'Orsay recevait annuellement dix millions de francs destinés à l'achat de livres représentatifs de la culture française que les ambassades et les légations se chargeaient de distribuer à titre de propagande.

Ce budget était administré par Jean Giraudoux, chef du

Bureau; Paul Morand, sous-chef, et Benjamin Crémieux, commis de chancellerie hors-cadres diplomatiques.

Le bordereau des achats, que je parvins à me procurer, comportait le remploi de six millions en acquisitions aux Editions Grasset, Gallimard, Emile-Paul, qui étaient les éditeurs de MM. Giraudoux et Paul Morand. Bons fonctionnaires, ils faisaient d'ailleurs largement ainsi souscrire à leurs oeuvres. Deux millions passaient à des abonnements, à des revues et des journaux littéraires, à charge occulte pour eux de consacrer des études aux oeuvres de MM. Jean Giraudoux et Paul Morand. Ces études, royalement payées, étaient normalement de Benjamin Crémieux.

Restaient deux millions. Ils étaient répartis à raison d'un million entre des souscriptions diverses aux ouvrages de membres de l'Institut, et un million consacré aux productions de MM. Paul Claudel, Maurice Paléologue, Dumaine, Comte de Saint-Aulaire, etc..., tous ambassadeurs de France.

En possession d'un *bleu* du bordereau des commandes, je parlai à M. Gilbert Peycelon, directeur du cabinet du ministre, M. Aristide Briand. Celui-ci demanda à me voir, flaira le tripotage et sourit. Il me dit : « Pas de coup d'éclat. D'abord, une enquête. Ensuite, j'aviserai ! ».

Les enquêteurs tombèrent sur le Bureau des Oeuvres françaises à l'étranger en coup de foudre et y semèrent le désarroi. Giraudoux comprit qu'il ne pouvait se sauver qu'en élargissant ses cadres. Il rallia Colette. Il me fit des offres que je déclinai, tardives, et pour les besoins de la cause. Quant aux ambassadeurs, ils déclarèrent ne rien connaître et s'abritèrent derrière leurs éditeurs.

En fin de compte, Giraudoux s'en fut chez le ministre et lui remit un projet de refonte totale du bureau responsable en proposant de sacrifier quelques lampistes obscurs. M. Briand s'était contenté de sourire.

Giraudoux attendait sa décision en toute confiance. Elle intervint quelques heures plus tard. Giraudoux, veuf de sa direction, était expédié en Turquie, à la Dette Ottomane. Morand se voyait nanti d'un congé d'un an, sans solde, qu'il avait demandé soi-disant pour séjourner aux confins du Sahara. Le budget de dix millions était retiré au *Bureau des Oeuvres françaises à l'étranger* et bloqué avec le budget de propagande générale, confié, désormais, à une Commission présidée par Henri de Jouvenel.

Colette, depuis quelques mois divorcée de son mari, se trouvait impuissante. Et l'apothéose de ma victoire se résume dans l'invasion subite de mon bureau par une amazone en furie, l'écume aux lèvres, la rage dans les yeux, proférant la menace et l'insulte, crispant le poing, soulevée par l'impuissance de son délire et de ses cris à me tirer d'une sérénité souriante.

Je la regardais vieillir.

2

Il est une Colette dont je ne parlerai pas, pour la simple raison que je ne l'ai point connue. C'est celle qu'épousa Willy, âgée de vingt ans et quelques mois, en 1893...

Je dis que je ne l'ai point connue. Peut-être l'ai-je trop connue. Il s'agissait de la gamine éveillée avec son grand col rabattu, sa lavallière rouge, son tablier noir, ses chaussettes, ses souliers plats. Je l'ai vue, sur les planches, où l'interprétait Polaire dans *Claudine.* Il serait intéressant de savoir si jamais Colette a été celle-là...

Je n'ai jamais demandé le renseignement à Willy. Mais Willy avait un vieil ami, l'un des spectateurs de sa vie intime, Antoine Délécraz, qui fut un journaliste consciencieux. Celui-ci gardait un souvenir très précis du mariage de Willy. Antoine Délécraz m'affirmait qu'alors Colette lui apparut comme une femme parfaitement « à point » avec des jambes un peu fortes et des seins déjà lourds...

Claudine, l'écolière délurée, émancipée par un mariage précoce, est une pure invention littéraire. Et je n'y vois aucun mal.

Cette image d'une Claudine émancipée et naïvement perverse s'imposa d'abord assez vite grâce à la caricature, au théâtre, et, sans doute, grâce à Willy lui-même, que l'aventure amusait.

Willy a passé une bonne partie de ses loisirs à accréditer des légendes, et surtout celles dont la malignité publique l'affublait. Rien ne l'amusait plus que la réputation scandaleuse qu'on lui faisait, si ce n'est le plaisir d'entendre les gens y ajouter.

Le meilleur témoignage que l'on puisse posséder de cette époque de son ménage et de sa vie est celui de ses anciens amis. J'en ai rencontré beaucoup au *Mercure de France,* à commencer par les hôtes de la maison Alfred Valette et son épouse, Mme Rachilde ; le critique musical Jean Marnold, Rémy de Gourmont, le célèbre germaniste Henri Albert, le docteur J.-C. Mardrus et Mme Lucie Delarue-Mardrus.

En 1906 et 1907, le divorce et les faits et gestes des époux qu'il avait séparés formaient encore un sujet de conversation. Mme Rachilde définissait Willy « l'à peu près grand homme ». Et, sous ce titre, elle lui a consacré une étude spirituelle et célèbre (1).

Jamais la qualité de grand homme n'a mis celui dont elle était la parure à l'abri de la médisance et de la critique...

Au *Mercure de France,* Colette, jeune mariée, ne fit d'abord aucune impression de surprise. Figure de petite paysanne endimanchée, peu indulgente, et gaffeuse !

Rémy de Gourmont se demandait si elle ne gaffait pas volontairement, Jean Marnold, lui, m'avoua :

« En voyant Colette pour la première fois, je me demandais tout d'abord comment un homme aussi distingué que Willy avait pu prendre à femme une petite hurluberlue mal élevée. Hérold me répondit, en psychologue plus sûr, que cette apprentie lui faisait l'effet de révéler un tempérament peu ordinaire et que Willy était homme à en faire quelque chose.

Dans cette compagnie spirituelle et érudite du *Mercure* de la rue de l'Echaudé-Saint-Germain, Colette ne se fit d'abord remarquer que par son allure enjouée et un sans-gêne qui avait tout l'air d'être son naturel.

Ce sans-gêne n'était pas sans avoir étonné — les mots sont faibles — la docte famille Gauthier-Villars.

Le frère de Willy, Hervé Gauthier-Villars, et ses soeurs, le général Sainte-Claire-Deville et Mme Claude Lafontaine, à

---

(1) Jamais Rachilde ne s'est départie de son affection pour Willy. Pendant sa maladie elle lui fit, chez nous, ainsi qu'Alfred Valette, de fréquentes visites et c'est à sa prière qu'Henri Albert, le traducteur de Nietzsche, écrivit et publia au *Mercure de France* le petit livre si intelligent et si vrai qu'il consacra à Willy.

un goûter qui réunissait la famille en manière de présentation de la nouvelle épouse, furent sidérées : « par le vocabulaire de Colette et la quantité effroyable de beurre et de confitures qu'elle consommait ».

On s'étonna à présent de telles remarques : pour les comprendre, il faut se reporter à l'époque. La famille Gauthier-Villars reflétait l'aspect d'une caste dont l'éclat a longtemps impressionné la France : celle de l'Ecole Polytechnique. Les Editions Gauthier-Villars étaient spécialement celles de l'Ecole Polytechnique, et le vieux père Gauthier-Villars n'admettait guère dans son entourage, et en principe pour gendres, que des Polytechniciens. Sa maison d'éditions, déjà très prospère n'était pas encore le mastodonte qu'elle affirme à présent en puissante société anonyme. Le père Gauthier-Villars vaquait à tout lui-même, conseillé par un ou deux Polytechniciens de choix, et à l'abri d'une sorte d'emprise de l'Eglise catholique, apostolique et romaine. Cette emprise, en 1919, n'avait pas cessé. Alors, il m'arriva de chercher un imprimeur qui établirait, pour une maison d'éditions dont j'étais le secrétaire général, un beau texte de Baudelaire. Réponse : « Mille regrets. Nous sommes des imprimeurs catholiques ». L'Ecole Polytechnique et l'Eglise, c'était la croix et la bannière.

Des éditions Gauthier-Villars, le patriarche de la famille assurait la direction générale. Son fils aîné, Hervé la direction commerciale. Son fils cadet (Willy), le secrétariat général et la publicité.

Ce bureau de Willy, au rez-de-chaussée, quai des Grands Augustins, devint rapidement célèbre dans les fastes littéraires de Paris. Catulle Mendès lui a consacré une chronique; Mallarmé, un quatrain. Marcel Schwob, Rémy de Gourmont, André Messager, Samuel Rousseau, Henry de Régnier, Paul Verlaine, Maurice Rollinat, Gustave Kahn, Claude Debussy, Jean de Tinan, Pierre Louys, et combien d'autres, s'y réunissaient pour palabrer (1).

(1) Fagus, l'un des plus purs poètes du siècle, fervent ami de Willy, qui travailla à assurer sa réputation, a évoqué dans une chronique ce que furent ces réunions auxquelles, tout jeune, il avait assisté. Fagus, au moment des attaques de Colette fut, dans *Le Divan,* un défenseur acharné de Willy.

Mais la visite que Willy préférait à toutes les autres, c'était celle de Charles Monselet, poète, chroniqueur et gastronome. Lorsqu'il le tenait dans son bureau, ce gros homme bonasse, Willy s'enfermait avec lui. Ceci créait du mystère, et, ce mystère, M. Hervé Gauthier-Villars, que Willy surnommait « Le Deuxième Bureau », prétendit un jour l'éclaircir. Il trouva un poste d'écoute, s'y installa et constata avec effroi, que pendant une heure trente huit minutes, son frère Henry et Charles Monselet n'avaient fait que se bombarder de calembours.

Un autre intime de Willy était Camille Flammarion, l'astronome. Ceux qui ont lu Gaston Dérys, complice des fastes gastronomiques de Willy, savent comment Monselet lui révéla, ainsi qu'au dénombreur de planètes, la fameuse recette jurassienne des *Pits-Pits* (Monselet ne prononçait pas les *t*).

Enfin, un dernier intime : Maurice d'Ocagne, membre de l'Institut, professeur à l'Ecole polytechnique et familier de la princesse Mathilde.

Au fait, qu'était alors Willy ? Un bon vivant, lettré, spirituel. En outre, un écrivain scientifique et un musicologue. L'écrivain scientifique était l'auteur d'études de physique appliquée, et notamment d'un *Traité de la Photographie en couleurs,* publié aux éditions paternelles, et qui, en la matière, fit longtemps autorité. De cet ouvrage célèbre, Willy m'a avoué n'avoir pas écrit une ligne. Il l'acheta tout fait à un pauvre hère d'agrégé pour cinq cents francs. Son excuse est de n'avoir rien publié pour la gloire. Willy cherchait à s'imposer comme savant aux yeux d'un père qui tenait serrés les cordons de sa bourse, et du personnel de la librairie Gauthier-Villars, qui ne le voulait pas prendre au sérieux (1).

D'autres études de même origine et du même genre le confirmèrent dans sa réputation usurpée et firent de lui l'orgueil de sa famille.

Cette plaisanterie se termina par deux actes notariés : celui du

---

(1) Il faut croire que le paternel patron se montra généreux car Willy, selon la même méthode, publia, toujours chez Gauthier-Villars, cinq autres essais purement scientifiques dont l'un sur *l'Eclairage des portraits,* et un autre qui est un traité de l'impression sur les métaux.

mariage avec Mlle Colette, et celui par lequel Willy revendait à son frère et à ses soeurs sa part de propriété de l'Imprimerie et des Editions Gauthier-Villars. Dès lors, il s'intéressa surtout à la musique, à l'humour et à sa femme.

On a raconté qu'à peine celle-ci présentée, la famille de son mari l'avait éloignée. C'est absolument faux. Willy m'a affirmé que Colette fut toujours aimablement accueillie, mais qu'il n'avait pas tardé à se rendre compte d'une impossibilité rédhibitoire d'acclimater cette étournelle dans le poulailler familial, où lui-même, malgré l'affection, se sentait, de plus en plus, chaque jour, un isolé sinon un étranger.

La Bourguignonne n'était cependant pas une fleur de terroir. Son père, officier, avait servi, comme tant d'autres, dans l'armée française et dans les troupes pontificales. Il s'était bien battu, à preuve qu'on avait dû l'amputer d'une jambe. De sa femme, je ne dirai rien. Colette a pris soin de nous raconter toute l'histoire de sa mère sans en omettre un détail. Par contre, elle nous a tu jusqu'à l'existence de son frère Léo Colette.

J'ai connu ce dernier, secrétaire de la mairie de Levallois. Léo Colette était un gros homme débraillé, rougeaud, fort en gueule, parlant avec le vocabulaire et l'accent de sa soeur. Il bâfrait, lichait chopines sur chopines et se plaignait de la modicité d'un traitement qui ne lui permettait pas de s'habiller : « Sans quoi, on ne me verrrait qu'à la Belle-Jarrrdinierrre et je serrrais le Brrrummel de Levallois ». Ce gros rougeaud, je ne sais pourquoi, me rappelait toujours sa soeur par un trait quelconque.

Voici l'un de ces traits : Mariée à Henri de Jouvenel, Colette signifia à son frère de cesser ses visites. Je crois qu'elle était surtout furieuse de savoir qu'il était demeuré fidèle à Willy.

On le voyait souvent arriver le dimanche. Il s'invitait à déjeuner... Un dimanche, vers midi et demie, une femme à notre service vint m'annoncer que M. Léo était au salon. Trois minutes plus tard, j'arrive, j'ouvre brusquement la porte, et perçois un bruit incongru, tandis que Léo Colette me regarde, hilare, idiot.

Je lui dis :

—Vous pètiez, Léo ?

Réponse :

— Toujourrrs, quand je suis seul. C'est l'unique distrrraction que me perrrmettent mes moyens.

J'ai relaté cette confidence à Willy. Il haussa les épaules et me dit :

— Il fait comme Colette après six jours de mariage.

L'aveu de Willy ne me surprit pas. On verra plus loin que Colette ne se gênait pas devant moi.

Mariés, Colette et Willy s'installèrent, rue Jacob, dans un quatrième ou cinquième étage où je ne les ai pas connus. Rémy de Gourmont est d'accord avec Rachilde et avec Gustave Kahn. Tous trois, séparément, m'ont raconté qu'ils formaient le plus gentil ménage du monde et que Colette adorait son mari. «Son bon grrros dont elle faisait tout ce qu'elle voulait ».

Cette dernière assertion me laisse assez sceptique. Willy, toute sa vie, avec son allure de bonhomie, n'a fait que ce qui lui plaisait, et il a fait plier les autres à sa volonté. Il ne jouait point, comme son vieil ami Barrès, au professeur d'énergie. Son obstination n'était que celle d'un Comtois têtu.

Tristan Bernard, qui était du même pays, exactement de Dôle, s'amusait à retrouver sous les dehors patriciens et la haute distinction de Willy les caractères divers des paysans jurassiens... « Jura, mais un peu tard »... disait Willy.

Je ne crois pas du tout, selon Rémy de Gourmont, que Colette, aimante et séduisante, ait jamais fait de Willy ce qu'elle voulait. J'ai des raisons de penser que Willy, amusé par la spontanéité de sa femme, voyait en elle l'ébauche dont, bon statuaire, il pourrait tirer une sculpture pittoresque, curieuse, idéale. Et tout me porte à croire qu'il s'y employait.

Colette, à ce moment, ne songeait pas à écrire. Elle rêvait de théâtre, de danses. Et, tout en la formant, Willy fut toujours ou bien bourgeois, casanier, pot-au-feu, ou carrément bambocheur.

Des témoins sûrs m'ont conté qu'aux débuts de leur union, Willy, pour parisianiser sa femme, lui fit faire un peu la noce. Ils furent Montmartrois, et dans la suite de Henri de Toulouse-Lautrec, de Maurice Joyant, d'Octave Raquin, de tant d'autres.

Colette se plut-elle en la promiscuité des filles ? En ces restaurants où, dans l'or qui pleut des plafonds roses, les danseuses, sous l'archet des tziganes frôleurs, offrent leur gorge épanouie ? Ce qui est certain, c'est qu'elle y fit la connaissance de Louise Baithy, qui, deux jours plus tard, pour ses médisances, la gratifia d'une paire de claques.

Les gens qui ont du caractère l'ont forcément mauvais. Le défaut de Colette fut toujours de n'apporter la mesure à rien de ce qu'elle faisait.

Elle le prouva en rédigeant son texte de *Claudine à l'Ecole*.

La version courante selon laquelle *Claudine* et les trois autres volumes, à peu près tels qu'ils furent publiés, sont le roman de sa vie de jeune fille, et qu'il était établi avant le mariage avec Willy n'est qu'un mensonge inconscient inspiré par la haine aveugle.

Je crois à ce que m'a dit Willy, à ce qui me fut, par la suite, confirmé par Alfred Valette et par Rachilde. Colette, jeune, était exceptionnellement fantaisiste. Au moment de son mariage, elle n'avait ni le métier, ni la connaissance nécessaires à l'établissement d'un texte publiable. En revanche, elle avait, sur le ton rosse, le don de la conversation, toute de verve et d'esprit cocasse. On l'écoutait, et elle aimait être écoutée.

Elle a raconté à Willy, et, paraît-il, à d'autres, dont Vallette, divers épisodes que Willy la pria de jeter sur le papier. Willy lui a appris à écrire en mettant les textes au point.

Colette a beau se prévaloir d'originalité, il existe dans *les Egarements de Minne*, qui sont de Willy, plus trente pages de P.-J. Toulet, un chapitre qui est un chef-d'oeuvre. C'est le passage où se trouve évoquée l'entrevue galante de l'héroïne et de Henri Maugis, déçu. Ce chapitre-là, c'est tout l'art de Colette, en substance, avec quelque chose de plus : la mise en scène de deux êtres, et non d'un seul, éternellement le même.

Il ne saurait être question d'un pastiche. *Les Egarements de Minne* ont paru juste après le divorce. A ce moment, je voyais Willy presque tous les jours. Et, comme j'avais publié sur son livre un article qui lui faisait plaisir et lui était utile, il me disait : « Vous avez raison. J'ai voulu montrer à la faunesse ce dont je suis capable, et je vous prie de croire que je l'étais avant son règne.

L'esprit de Willy a quelque chose de particulier. C'est un esprit merveilleux, sec comme celui de La Rochefoucauld, mais qu'il assaisonne, par ce que les critiques actuels appelleraient sa *présence.* Si vous enlevez à un trait de Willy l'ombre de sa personnalité sûre et forte, il se déprécie étrangement.

Il n'est pas inutile que j'en dise deux mots avant de raconter l'origine de mes relations avec lui et avec Colette. Ces relations se sont faites à sa lumière, elles ont évolué sous son signe. Elles ont eu, sur ma destinée et sur ma carrière d'écrivain, une influence considérable.

Willy : « Pour m'obliger, il faut être discret ». Traduisez qu'il aimait la réclame. Il l'aimait au point qu'il lui arrivait de payer certains journaux pour l'insertion d'échos publicitaires. Ce qu'il voulait d'abord, c'était qu'on parlât de lui. On en parlait beaucoup. Jamais assez à son goût, ni en bien ni en mal.

Ce n'était là de la vanité pas plus que de la faiblesse. C'était une connaissance parfaite du monde des lettres et de la société parisienne. Jamais écrivain n'a mieux connu son métier. Et, ce métier, il l'aimait. Il l'aimait autant que la vie.

Peut-être même, ce métier fut-il toute sa vie. Son talent (et nous verrons plus loin ce qu'il faut en penser), son esprit, son goût et son jugement très sûrs, en un mot, sa raison d'être, lui faisait intégrer *la vie dans le métier.*

Il m'écrivait, en 1909 : « Pour ne pas paraître courte, la vie devrait durer une éternité ».

Et je lui répondis : « Je crois que vous êtes bien le seul qui soit capable d'écrire tout ce temps-là sans vous embêter ».

C'est que Willy avait une manière personnelle de comprendre toutes les choses et n'hésitait pas à la formuler. Il y avait en lui du Chamfort, et saupoudré de Rivarol.

En 1912, le monde de la presse fut mis sens dessus dessous par une histoire de moeurs. Le directeur du journal *La Lanterne* venait d'être inculpé dans une affaire de prostitution de mineures, qui, d'ailleurs, n'était qu'une machination policière due à l'habileté de

M. Caillaux, contre lequel *La Lanterne* publiait des articles.

Ce directeur avait été le mien. Et *le Gil Blas* me demandait un papier sur l'affaire. C'était délicat. Willy, qui venait de surgir dans la salle de rédaction, vint à mon secours.

— Cher ami, je vous dicte. Ecrivez : *M. le Président du Conseil est un homme habile. Il sait que plus il y o de plaisirs à envier dans un délit, plus la condamnation est sévère...* Etc...

La même année, Mme Alfred Mortier perdit sa mère. Après la messe funèbre à Saint-Philippe-du-Roule, chacun défilait devant elle et son mari avec quelques mots de consolation errant sur les lèvres. Willy me touche l'épaule et me dit : « Nous sommes ardents, généreux dans les propos consolateurs, les condoléances et la politesse.

Ces quelques traits résument, non tout l'esprit de Willy, mais son caractère si spécial.

Je suis entré en relations avec Willy pour lui avoir expédié, en 1905, un recueil de contes : *Attitudes,* voué à l'insuccès. En première page de *Comoedia,* il y consacra les deux tiers de sa chronique. Il commençait par affirmer que le livre comprenait cinq nouvelles, 5 = 3 + 2. Le chiffre 32 tenait lieu de table des matières. Suivaient des appréciations élogieuses.

Un tel article, signé d'un nom connu, suffisait à faire vendre un ouvrage. Et mon éditeur, M. Tassel, fut le premier à s'étonner des commandes qu'il reçut. Ce livre, dont je n'espérais rien, a été réimprimé en 1922 (1).

Ma famille habitait, à ce moment, Bruxelles. Mme Colette (alors Willy) vint y danser une pantomime au théâtre de l'Alcazar. Je connaissais M. Armand Duplessis, l'administrateur de cet établissement. Il accepta de me présenter à l'auteur des *Sept Dialogues de Bêtes,* auxquels j'avais, dans une Revue, consacré une étude, dont, par lettre on m'avait remercié. A ma grande déception, Willy ne l'accompagnait pas.

Mme Colette, gentiment, me parla de mes *Attitudes,* qu'elle avait lues. Quant à la monumentale gerbe de lilas que je lui offris,

(1) Par l'éditeur Povolswiky l'ami de Guillaume Apollinaire. Willy devait préfacer l'ouvrage. Il le fit. Mais le texte de la préface, expédié de Genève, ne me parvint jamais.

elle s'en débarrassa dans les bras d'une amie qui l'accompagnait, comédienne d'un certain renom : Thérèse Robert, à laquelle elle me présenta.

Après le spectacle, ces dames me permirent de les emmener souper. Là se produisit en moi une évolution inattendue. J'avais suivi le spectacle dans l'avant scène de M. Duplessis, l'administrateur du théâtre. Mme Colette Willy dansait à peu près nue sous une peau de panthère. A la voir ainsi, je me rendis compte de ce que je m'étais exagéré ses charmes physiques. Mais elle dansait avec une sorte d'animalité à ce point suggestive que mon étonnement se transforma en un désir très vif qui me troubla profondément.

Nous soupâmes sans grand luxe à la Taverne Royale, mais notre conversation fut très animée. Mme Colette était en forme, et, moitié paroles, moitié mimique, exerçait sa magie. Or plus se prolongeait cet enchantement, plus mon désir se détachait d'elle et subissait la séduction de Thérèse Robert.

Il était une heure du matin quand je reconduisis ces dames. Nous déposâmes Mme Colette à l'hôtel du Grand-Miroir, où elle descendait toujours quand elle était de passage à Bruxelles, et où on la retrouvera dans ce récit.

Thérèse Robert était descendue à l'hôtel Métropole. Dans le hall, j'esquissais avec un profond regret le geste de prendre congé d'elle. Elle souriait finement à travers les lilas qui l'encombraient toujours. Alors, soulignant son invitation d'un aimable clin d'oeil, elle me glissa : « Suis-moi ».

Le *lift* me fit monter au quatrième étage. Peu après, Thérèse Robert me faisait monter au ciel. Je passai la nuit dans son lit. Et nous recommençâmes volontiers.

C'est ainsi qu'un an avant son divorce, je fis mes premiers pas dans l'entourage de Willy, dont Thérèse Robert était une excellente amie.

Quelques mois plus tard, grâce à Lugné Poê, Mme Colette créait dans *Pan,* la pièce admirable de Charles Van Leerberghe, le rôle de Paniska. Je la revis à cette occasion, émerveillé par sa création.

C'est alors, à Paris, au théâtre de *l'Oeuvre,* que Thérèse Robert me présenta à Willy et que nous devînmes, malgré la différence de nos âges, de grands amis.

Ceci ne m'empêcha nullement de revoir Mme Colette en admirateur respectueux. Elle était, à certains moments, expansive, avec des mouvements de tendresse sur lesquels je n'eus ni la fatuité, ni la naïveté de me méprendre... Elle m'avoua, un soir, dans le bar du sous-sol du Palace des Champs-Elysées, qu'elle était malheureuse, sentimentalement en désarroi, avec le souci de gagner sa vie... « Je voudrais seulement être en droit d'espérer le bonheur ».

Je lui répondis, étonné d'une telle confidence : « Le bonheur sur terre, madame. Mais il n'est qu'une conception de concierges, de fonctionnaires avant leur retraite. Cette vie ne peut apporter le bonheur qu'aux âmes bornées et modestes qui sont incapables de la vivre en sa plénitude. Le vrai bonheur est de ne pas penser au bonheur. En revanche, les plaisirs — un long enchaînement de plaisirs tient avantageusement lieu de bonheur — et je pense encore que là est la sagesse. Mais le plaisir forme une sorte d'aristocratie occulte, peut-être de maffia entre ses amis. Il constitue une occupation délicate, loin d'être à la portée du premier venu qui a de l'argent et se trouve désoeuvré. Savoir ne rien faire sans s'embêter, voilà la pierre de touche. Rares ceux qui y parviennent. Mes grands plaisirs, je les dois à l'art et à l'amour.

Alors, Mme Colette me glissa : « Tu parles en gamin. Crois-moi, méfie-toi du plaisir. Tu verras jusqu'où il t'entraînera ».

Je n'ai pas suivi ce conseil. L'art d'écrire et l'art d'aimer, je les ai confondus, puisqu'il paraît que mes meilleures pages sont des pages d'amour. D'autres parleraient de leurs voyages. Les miens ne m'ont pas déplu, et surtout parce que j'ai rarement voyagé seul. J'ai vu l'Italie et l'Espagne, la Grèce, Constantinople, la Russie des Tzars, les Indes, Ceylan, la Chine et l'Indochine, à travers l'amour que portait mon coeur. Les plaisirs des voyages n'ont été pour moi que des plaisirs d'amour. Plus particulièrement, je n'ai vu l'Autriche, la Hongrie et l'Ecosse que dans les yeux adorés.

J'ai donc admiré le monde subjectivement. Je suis sorti de mon appartement, de Paris, de la France, de l'Europe. Suis-je jamais sorti de mes songes ?

Mme Colette me dit encore : « Peu de gens savent ce qu'est le plaisir. Ils ne connaissent que la rigolade ».

Mme Colette disait vrai. Un souvenir me le confirme, plus récent. Je me reverrai toujours, en mai 1941, dans un bureau militaire de la rue Bassano, face à cet officier allemand auquel je demandais le passeport nécessaire pour me rendre à Toulouse. Il me dit « Pourquoi ce voyage ? ». Réponse « Mais, monsieur, pour mon plaisir ». Il sursauta : « Comment, vous pensez encore à cela, vous ? ». Et je réplique, imperturbable, sûr de ma supériorité sur ce conquérant : « Je ne pense même qu'à cela, monsieur l'officier ». Ce vainqueur d'un moment, qui ne pensait qu'à sa gloire et à ses paperasses, leva sur moi des yeux éberlués et m'accorda ce que je désirais. Je suis encore persuadé que si les Allemands ont été vaincus, c'est parce qu'ils manquent totalement du sens du plaisir.

C'est parce que j'avais, moi, ce sens inné du plaisir que je me suis abandonné à cette profession magnifique et inutile qui consiste à écrire des poèmes et des romans. Je n'ai jamais pu me résoudre à faire quelque chose qui m'embêtât...

— Méfie-toi du plaisir, me disait Mme Colette. Et n'avait-elle pas ajouté : « Tu ne sais pas où le plaisir mène ! » (1). Je ne faisais alors que m'en douter. A présent, j'ai l'expérience et je ne regrette rien.

Je revis ce regard étonné dont je transperçai celle qui venait de me donner un conseil aussi inattendu et qui, à trente ans de là, devait écrire un livre troublant : *Ces plaisirs...* On sait lesquels.

Le déclin, par le jeu du souvenir, rapproche des illusions et des espérances de l'aurore. Il arrive dès lors qu'on fasse la somme des bons jours, qu'on dresse le bilan des mauvais. On

---

(1) Avant la guerre de 1914, Colette me disait *tu*, gentiment. Elle tutoyait beaucoup de monde. Je commençai respectueusement par l'appeler *Madame* en lui disant *vous*. Plus tard le *tu*, seul, présida à nos relations jusqu'au mariage avec Jouvenel, où, à sa prière, je redevins déférent et cérémonieux.

établit une balance dont oscille le fléau tantôt dans un sens et tantôt dans l'autre. Que penser de tout cela ? On n'a pas toujours la possibilité de réaliser une somme définitive tant est grande l'incertitude. L'essentiel est, je pense, d'avoir vécu. C'est tout ce qui compte : les passions, les émotions fortes, les voyages lointains, sans oublier l'apaisement de pas mal de curiosités satisfaisantes.

Voilà ce qui, évidemment, arrive à Mme Colette comme à moi.

Il serait ridicule de croire à la vertu de Willy. J'ai toujours cru exactement au contraire, mais je n'ai jamais pu m'imaginer un instant que Willy ait été le pervertisseur de Claudine, qui ne demandait qu'à se laisser pervertir. Elle dégageait comme une odeur de sensualité indéfinissable et troublante. Il y avait en elle des étirements de panthère et une agilité qui ne pouvait être que du même animal. Elle donnait une impression de fauve jusque dans sa façon de manger. Elle dégageait ce sentiment d'impudeur que je n'ai connu qu'à elle, déconcertant, sincère, direct, et qui n'invitait pas l'homme à lui manquer de respect. C'était à la fois du cynisme, de l'absence de préjugés et une aspiration démesurée vers la nature libre. Elle était imaginative, artiste dans le moindre geste, sans rien d'intellectuel. Il est hors de doute qu'elle se rende compte, comme je le sais aussi, que le sens du plaisir nous servait pratiquement.

Un médecin, un avocat, ont l'obligation d'avoir un cabinet, des collaborateurs, des secrétaires. Un banquier, un commerçant, ont des échéances, des bureaux, des comptoirs, des soucis. Moi, mon métier, je le fais avec un stylo quelconque et un cahier d'écolier. Je n'ai jamais été assujetti à aucune obligation d'heures de présence, de formalités comptables ou commerciales, et je crois bien que ce que j'ai écrit de mieux le fut au lit, en fumant ma pipe. Lève-tard, nocturnien, ayant horreur de savoir à un instant donné ce que je ferai une heure plus tard, j'ai souvent produit l'effet d'un fainéant, d'un bohème, d'un flâneur.

Ceux-là qui m'ont connu dans l'intimité ne se sont pas laissé prendre à de telles apparences, et déjà Guillaume Apollinaire, compagnon joyeux de mes vingt-cinq ans, me définissait : « Sylvain, ce grand paresseux qui travaille tant... ».

En Mme Colette, l'instinct triomphait, prestigieux. L'observation, l'étude psychologique ? Peut-être, mais sans intention, sans travail de laboratoire, à la manière de Paul Bourget, ce vieux bureaucrate laborieux.

Les caractères de mes personnages sont venus naturellement. La sociabilité, qui est, assure-t'on, l'une de mes vertus, m'a mis en contact avec beaucoup de gens et j'ai toujours eu le don de lire en eux.

Je retiens encore, à ce propos, une autre confidence de Mme Colette. Au sujet de son admirable *Retraite sentimentale,* je lui disais : « C'est merveilleux comme vous observez les êtres ». Elle me répondit : « Je n'observe rien du tout. Les êtres, pour les comprendre, j'entre dedans »*(sic).*

Je crois qu'elle entrait surtout en elle-même. N'était ce pas toujours par comparaison avec elle que Colette expliquait les autres !

Ce monde extérieur, comme les êtres qui l'animent, me font toujours l'effet d'être issus de moi-même. La femme que j'aime m'apparaît comme une création de ma propre sensibilité. Et si j'entreprends la composition d'un poème ou d'un roman, je me fais l'effet d'offrir moi-même une petite fête. L'oeuvre finie, les violons se taisent, le jour pointe à travers les persiennes, et c'est la tristesse de l'aube sur la table déserte du festin, sur les dorures des salons que la lumière électrique faisait si bien resplendir.

L'opium, dont j'ai usé miraculeusement avec mesure, n'a été pour moi ni un aphrodisiaque, ni un élément créateur. Il m'a permis de voir clair en moi-même comme dans les êtres que j'aimais ; il m'a fait entrevoir ce qui se passe de l'autre côté de la vie. Il m'a fait comprendre l'esprit des formes et du mouvement qui les crée. Il m'a révélé le sens caché des choses, leurs rapports secrets entre elles, et leurs rapports avec nous-mêmes. Je pense qu'avec une vision supérieure de ce que nous appelons la réalité, et qu'avec une conscience nette de la vérité qui est en nous, c'est tout ce que je pouvais demander à la drogue. Mais j'ai souvent

écrit pour me soulager des fantômes qu'elle éveillait en moi...
Je ne crois pas que les curiosités de *l'Ingénue libertine* soient
allées jusqu'à l'expérience des paradis artificiels. Il y avait dans
sa nature trop de sincérité.

Mme Colette me disait encore : « Ce qui m'étonne, en fin de
compte, c'est tout mon travail ». Je la comprends d'autant mieux
qu'elle a dû travailler pour vivre. Ceci est admirable et mérite le
respect, d'autant plus qu'elle a beaucoup travaillé pour les autres.
Mais Mme Colette, milliardaire, n'aurait pas écrit une ligne de
moins. « On a ça dans le sang ».

Ce qui m'étonne, moi, ce n'est pas notre travail à l'un ou à
l'autre, c'est la continuité de ce travail. Je rencontre souvent
encore pas mal de mes camarades du début, et qui ont réussi.
Ils sont, comme on dit, arrivés. Dans quel état ?... comme disait
Capus. L'Académie française, le déjeuner Goncourt, des sinécures
rémunératrices dans le fonctionnariat, des grades élevés dans la
Légion d'honneur, le Prix Nobel, une influence profonde dans
le journalisme. Si je songe à tout ce que ces succès comportent
de reniements, d'abdications, d'intrigues, d'humiliations, de
corruption, de misères honteuses et de vanité mal satisfaite, je
bénis le ciel d'être demeuré ce que j'étais à vingt ans et d'avoir
échappé à tant de plates servitudes. Le succès de Mme Colette
n'est dû à rien de tout cela.

Que demandent aux lettres ceux-là qui s'en servent, sous
couleur de les servir ? Un nom, de l'argent, une situation en vue
dans la société. J'ai trouvé ces trésors dans mon berceau. Dieu
m'a procuré, et mes parents m'ont laissé, à peu près ce qu'il me
fallait pour vivre comme je l'entendais et travailler librement. Le
succès m'est venu sans que je l'eusse appelé, l'argent de même
comme l'infortune ou la ruine, par surprise. En un mot, j'ai joué
ma chance et misé sur le bon tableau.

Mme Colette, elle, a dû bien autrement se débrouiller. Je ne
sais si elle a pu se discipliner mais, désillusionnée certes par ces
plaisirs dont elle n'a pu se délivrer, elle a voué sa vie au travail.

Ceci vérifie encore une opinion de Mme Colette. Elle me
disait, me voyant découragé : « Rassure-toi ! la réussite appartient

toujours à ceux qui ont travaillé pour le plaisir de travailler, vécu pour l'honneur de vivre, sans songer à d'autres fins. Ce n'est que dans cet état d'esprit que l'on peut écrire des oeuvres dignes de soi en se renouvelant sans cesse. L'art est incompatible avec les grands programmes, les doctrines scrupuleusement appliquées, les compositions arrêtées comme des épures. Il est subordonné à la meilleure part de fantaisie personnelle qu'on apporte à son culte. A cette condition seulement peut-il, en retour du plaisir d'écrire pour écrire, procurer la joie. Et trop d'écrivains en renom ignorent la joie pour que je ne puisse attribuer à autre chose qu'à leur talent leur fausse renommée ».

Ceci me rappelle un propos de poète. Paul Fort m'écrivait un jour, avec toute la clairvoyance de sa naïveté poétique : *Vois-tu, le poète est au métier comme l'ébéniste. Ses relations commerciales ? Mystérieuses. Mais ce qu'il vend prend de la valeur avec le temps !* D'accord. Mais ai-je jamais songé à la valeur future de ce que je vendais ou de ce que je donnais ? Je ne crois pas. Quatre fois, des éditeurs m'ont offert de réunir des poèmes issus de ma plume en des volumes congrus. J'ai accepté ; mais il m'a fallu des mois pour rassembler les poèmes nécessaires. Les uns se trouvaient insérés dans des revues lointaines, dont je ne possédais pas les fascicules voulus; d'autres collés sur des livres de prose dédicacés se trouvaient chez des amis, et je n'en avais point conservé de copie, certain que je ne les publierais jamais. Il y avait aussi quelques-unes de ces plaquettes de luxe à tirages infimes, qui sont les tombeaux de nos productions poétiques et dont souvent mon exemplaire était égaré. Je puis dire que si je suis l'auteur de mes volumes de vers, les quelque douze cents pages de ma production poétique se sont rassemblées par une opération merveilleuse à laquelle je suis resté presque étranger, craignant les dérangements qu'y apporterait ma collaboration.

On m'a reproché certaines absences de discrétion... peut-être. Mais si l'amour est l'impudeur personnifiée, la pudeur est l'aphrodisiaque de l'amour. Pudeur ou impudeur, le résultat est le même. Il n'y a pas d'homme vertueux... L'occasion fait le larron. Mais le larron sait créer l'occasion. Mes romans et mes mémoires témoignent des occasions que j'ai créées. S'il en est de même pour les femmes, voyez Mme Colette.

Le père de Claudine, l'auteur de Toulet, de Carco, de Curnonsky, de Dyssord, d'Armory, de Colette, me découvrit du talent, me fit travailler, puis certain de mon avenir dans la profession, m'engagea à la pratiquer sans surseoir. Je suivis ce conseil et, pour m'assurer du confort nécessaire, je priai monsieur mon père de me nantir d'une matérielle de douze cents francs par mois, ce que sa fortune lui permettait sans difficulté. Nous étions en 1908.

Mon père accepta, après m'avoir envoyé à Anatole France, qu'il connaissait bien. J'ai dit ailleurs ce que fut l'entretien avec Willy qu'il invita à déjeuner.

J'ai encore le souvenir de ces agapes. Mon père, homme grave, affectait de plaire à Willy en faisant de l'esprit. Willy, pour plaire à mon père, affectait le genre sérieux. Je fus donc le seul à m'amuser de ce déjeuner comme d'une comédie. Mon géniteur et Willy se séparèrent, enchantés l'un de l'autre et j'obtins ce que je désirais. Pendant longtemps, mon père me proposa l'exemple de M. Henry Gauthier-Villars, homme sérieux et pondéré, et Willy m'affirma que mon père, ce savant considérable, n'était pas embêtant pour un sou.

Willy était lié avec pas mal de gens sérieux du genre de mon père et que celui-ci connaissait bien, le mathématicien Maurice d'Ocagne, membre de l'Institut, l'illustre helléniste Alphonse Willems (Willy lui-même demeurait avec Pierre Louys le meilleur helléniste des écrivains de son temps), Mme Cosima Wagner, le professeur Dieulafoy, etc.... Tout ceci créditait Willy aux yeux de mon père qui ignorait tout de la série des *Claudine.* Tout, jusqu'à leur existence.

Willy, en société, avait du tact, de l'esprit, disait des choses intéressantes et n'abusait pas du calembour. La vie est un paradoxe en marche. Willy influença mon paternel monsieur, le moins influençable des hommes, et parvint à le convaincre de mon talent.

On sait que, de ce talent, Willy a largement tiré parti. En revanche il a contribué à faire de moi un écrivain.

Mon père, qui le connaissait bien, me recommanda aussi à Ganderax, le directeur de la *Revue de Paris*. Ganderax était l'élément mâle d'un ménage austère qui, dans la société d'alors, en imposait par sa gravité. Je me rendis chez Ganderax avec la certitude que cet homme m'embêterait. Il me garda une heure pour me parler de la nécessité de former le goût, de l'utilité des humanités fortes et me demanda si, dans le texte, je pouvais lire Homère et Tacite. Je lui répondis par l'affirmative. Sur quoi j'essuyai toute une conférence sur l'enseignement que comportent le grec et le latin.

A un moment donné, je crois que mon hôte allait éprouver ma connaissance des langues mortes. Il n'en fut rien. Il me dit, sans simplicité : « Vous avez tout ce qu'il faut pour être un grand écrivain après vingt-cinq ans de travail. Nul n'échappe à cette loi du travail. Il y a pourtant moyen de faciliter son jeu. Suivez ce conseil : chaque jour, au lit, lisez, avant de vous endormir, cinq pages du dictionnaire de l'Académie. Voici cinquante ans que je ne fais que cela. Ces lectures entretiennent mon bon goût et j'y apprends toujours quelque chose ».

En 1912, je contai, dans le détail, cette entrevue à Marcel Proust qui connaissait Ganderax, Proust me dit : « Voici dix ans que Ganderax m'a pourvu d'un conseil analogue, mais à mon usage il remplaçait Montaigne et Rabelais par le dictionnaire de Littré ».

Ganderax était affable, maintenait les traditions de haute courtoisie à présent perdues. Il répondait de sa main à toutes les lettres, à tous les envois de livres, plaquettes et opuscules. Je lui envoyai *Le livre du Dauphin* lorsque Grasset lui fit voir le jour. Ganderax m'écrivit aussitôt : « *Vos poèmes ont bien du charme. Je leur dois d'exquises heures d'oubli. Hier soir, après dîner, j'ouvrais le volume au hasard, avec l'intention de le parcourir. Je l'ai lu d'un bout à l'autre, et l'aube m'a surpris comme j'achevais de vous relire* ».

Ganderax était un personnage considérable. Son éloge si sincère me grisa, et j'eus le tort de montrer sa lettre à Georges

Pioch en présence de plusieurs amis. « C'est curieux, me dit Pioch. Moi aussi j'ai envoyé à Ganderax un récent recueil de mes vers et voyez vous-même ce qu'il m'écrit ». Sur le même papier de la *Revue de Paris* Ganderax avait envoyé à Pioch une lettre textuellement identique à la mienne, et datée du même jour. Ganderax pratiquait l'éloge en série.

Peu après, chez Mme Bulteau, avenue de Wagram, Toulet s'éprit d'une personne grave et belle et qui fut un moment sa maîtresse. Originaire de Nîmes elle déployait la séduction d'une Arlésienne. Il la quitta, comme toujours, vilainement. Ce ne fut qu'après cette rupture qu'il apprit qu'elle était parpaillote. A l'ami —Chervet — qui lui signifiait ce détail, Toulet lâcha d'un ton canaille qui lui était familier : « Vous doublez ma joie de l'avoir induite dans le péché, car elle ne peut se faire absoudre » (1).

Willy m'a aidé à placer des articles, des nouvelles, des pièces en un acte. Son amitié n'était pas toujours désintéressée. Quand mes sujets lui plaisaient par trop, il prenait mes contes. Il les retapait, les cuisinait à sa sauce, les signait et les publiait en oubliant de me payer. Il était kleptomane, certes. Mais la leçon que me donnait la comparaison de mes textes et des siens demeure la plus utile leçon par moi reçue. J'ose dire que les petites indélicatesses de l'à *peu près grand homme,* selon Rachilde, ont fait de moi un écrivain bien plus que les conseils d'Henri Bataille, de Pierre Louys, de Barrès. Willy pillait, mais retravaillait beaucoup. Il s'appropriait une idée, et seulement ce qu'il y avait de bon. L'oeuvre changeait d'optique.

C'est à cette époque si féconde de ma jeunesse que je retrouvai Mme Colette Willy, et cette rencontre me fit un grand plaisir. Peut-être était-elle sincère m'en disant autant. Je crois qu'elle était encore l'épouse de Willy, mais « ça branlait dans le manche ». Et avant de poursuivre ce récit peut-être est-il opportun de rappeler brièvement ce qui s'est passé.

(1) La réplique m'a été rapportée ainsi qu'à Georges Pioch, par Chervet, dans son cabinet de secrétaire de la rédaction du *Gil Blas.* Depuis, je l'ai relevée dans les *Trois impostures.* La chose ne m'étonna point. Toulet, toute sa vie composa son personnage et fut son propre metteur en scène.

Nous avons laissé le couple rue Jacob. C'est là que Willy est devenu le premier critique musical de Paris, celui de l'*Echo de Paris,* dont il fut l'artisan de la prospérité.

— J'avais remarqué, m'a conté Willy, les sommes astronomiques que consacrent les éditeurs de musique au lancement de leurs partitions et à la représentation des opéras. Je savais depuis longtemps que le feuilleton musical des grands quotidiens était rédigé par des écrivains embêtants du genre Reyer et que cela suffisait à éloigner le lecteur. Ainsi, par routine, on se privait de l'appui de la presse dans la diffusion des oeuvres musicales. Mon idée fut de tenir à jour une chronique gaie, railleuse, cocasse, plaisante à lire. Les mélomanes, qui sont innombrables, ne s'endormiront plus en lisant des articles consacrés à ce qu'ils aiment, et ces articles les informeront de tout.

Henri Simond, directeur de *l'Echo de Paris,* hésita puis s'offrit à tenter l'expérience. Elle fut concluante.

Le Carnet de l'Ouvreuse fit monter le tirage d'une cinquantaine de mille exemplaires.

Du même coup, voilà Willy cousu d'or et célèbre. Il peut enfin, dit-il, se permettre le luxe d'être endetté. Et Dieu sait s'il le sera ! Mais, depuis cinq ans, Willy fait figure de maître. Colette et lui ont quitté la rue Jacob. Ils sont installés rue de Courcelles dans un vaste appartement et une maison élégante... Willy règne sans déplaisir, avec ostentation, souvent en tyran.

Le matin, Willy, accompagné de Colette, trotte au Bois sur des chevaux réputés difficiles. Le soir, suivi de ses gardes du corps déférents et dévoués, il pontifie à l'Opéra, au concert. Aucune répétition générale, aucune fête n'est possible sans Willy. Quant à Colette elle se pavane auprès de lui, travestie, non en petite fille, mais en esthète, style Walter Crane. Florence revue par Londres.

Au physique les époux sont assortis. Elle, jeune athlète, lui, montagnard chauve, râblé, la barbe en pointe comme l'esprit. En plus, Pic de la Mirandole en personne. Et pour parer à la seule réputation d'humoriste, ne vient-il pas de publier chez Plon un imposant travail sur le Mariage de Louis XV ?

Rue de Courcelles, quand le ménage n'est ni à Monte-Carlo, à Bayreuth, aux courses d'Auteuil ou de Longchamp, c'est l'invasion des échotiers, des reporters, des râcleurs de violons, des désaccordeurs de pianos, qui viennent mettre Willy au courant des informations et des intrigues du monde musical. N'est-il capable d'assurer une réussite ou une démolition en dix lignes, à l'encens ou au picrate ; de faire aboutir une combinaison, de faire recevoir un opéra ? Colette est grisée. Elle qui enviait le luxe de Polaire, à présent l'enfonce. Et ne dit-on pas que Polaire et elle se retrouvent à Lesbos ? C'est faux, ou plutôt ce n'est plus vrai. Mais qu'importe ? Il ne déplaît pas à Willy qu'on le dise. La réclame parlée, il n'y a que cela.

A Paris, la vraie popularité, c'est celle de la rue. L'homme de la rue ne lit rien, mais il sait tout :

Montez en fiacre

—   Cocher, 77, rue de Courcelles !

—   Bien, bourgeois, chez Willy !

Mais que sait de Willy le cocher ? A peine le chapeau à bords plats et les deux beautés, souvent habillées de même, qu'il ballade : Polaire et Colette. Les voyous disent : « L'homme aux deux guenons ». Mais ils subissent le charme des deux guenons.

A ceci, faut-il ajouter que, pas plus que les écrits scientifiques, le *Mariage de Louis* XV n'est de Willy ? Il est l'oeuvre d'une institutrice de l'Ecole de Sèvres. Mais qu'importe ? Le but est atteint. Willy peut faire figure d'historien dans le monde des humoristes, et d'humoriste devant les historiens. Son principe est de mêler le grave au léger, la science et le sourire.

Les cavaliers du Bois sont plus prosaïques et moins faits pour charmer une famille étonnée qui n'admet l'usage du cheval que dans l'artillerie et la cavalerie. Je n'ai jamais vu Colette à cheval. Je sais, par Willy lui-même, qu'elle montait en amazone, à la mode de son temps où seule Rita del Erio, future épouse d'Henri Duvernois, se permettait de califourchonner.

Polaire m'a confié : « La pauvre Colette n'avait rien d'intrépide. Ces promenades au Bois étaient son cauchemar. A la moindre réaction de sa monture, elle tremblait comme une feuille ».

En outre, et c'est toujours Polaire qui parle : « Tu sais qu'il y a le mal de cheval comme le mal de mer. La pauvre Colette y était particulièrement sensible et plus d'une fois à la Cascade, à grands renforts de serviettes mouillées, on dût frotter la longue amazone grise sur laquelle elle avait vomi, tandis qu'elle s'abreuvait de menthe verte... ».

Willy, lui, fit son service militaire au Mans, puis à Besançon, dont le duc d'Aumale commandait le corps d'armée. A Besançon, Willy était un artilleur délivré de sa pièce, de son cheval, de ses armes. Il était planton du duc d'Aumale (1). Il m'a confié, un soir : « Le vieux Ratapoil qui s'agite souvent en moi pour marcher, musique en tête, sur Berlin, *via* Strasbourg, a horreur des demi-sang trop rétifs. Il me faut un bourrin confortable ».

Et je lui répondais : « Je vois, je vois ! Vous n'êtes qu'un *gentleman rider* à pied ! »

Moi, je montais les chevaux de Lucette de Landy. C'était pour elle une façon de promener ses bêtes et pour moi d'économiser des frais de manège. Je m'étonnais de la lenteur des montures de Willy. J'en découvris le secret. Willy louait ses chevaux au manège de la rue de la Faisanderie et, comme il les lui fallait, ainsi qu'à Colette, doux et soumis, il les faisait fatiguer par le piqueur avant qu'il les montât. C'est le vrai moyen de ne pas être désarçonné.

Néanmoins le grand feutre gris à vaste plume flottant au gré de la brise que portait Colette, épatait le baron de Royé, premier cavalier de Paris, et suffisait à donner à Colette droit de cité dans le monde hippique.

Le critique musical, lui, exerçait sa tyrannie avec ironie et férocité. J'ai rapporté ailleurs ce que m'en dit Debussy, un soir que je dînais chez lui avec Toulet : « Il n'y a qu'un critique musical, c'est Willy. Il ignore ce qu'est une double croche, mais je lui dois le meilleur de ma réputation ».

Debussy exagérait.

La vérité est que sur le plan technique, Willy se fait informer

(1) Willy, son volontariat d'un an terminé, se trouva sous-lieutenant de réserve d'artillerie montée. Il en conçut, toute sa vie, quelque fierté.

par Pierre de Bréville, l'auteur *d'Eros vainqueur,* musicien rasant, homme de goût qui oriente Willy vers César Franck, vers Dukas, Fabre, Vincent d'Indy, Claude Debussy, Déodat de Séverac. C'est Bréville, wagnérisant l'auteur des *Claudine,* qui devient le *maestro* de tout le mouvement wagnérien.

Reste à savoir ce que serait la critique de Bréville si elle n'était pas mise à la sauce de *l'Ouvreuse.* Il faut la manière, et seul Willy la possède. La critique musicale s'exerce sur des intérêts qui passionnent les foules parce que la musique est l'art le plus vulgarisé, aux réputations les plus illustres, et puis, parce qu'elle touche à l'art dans lequel le plus d'argent est investi. Jusqu'à Willy, chaque journal avait son feuilleton musical que personne ne lisait parce qu'académique et grave (1).

A *l'Echo de Paris,* Willy dans ce genre solennel déchaîne la fantaisie, démolit des célébrités avec une verve incroyable. Il sait être ou paraître drôle. Les chroniques de *l'Ouvreuse* ont des centaines de milliers de lecteurs. Willy est sollicité par tous les compositeurs célèbres, les directeurs de théâtres, des chefs d'orchestres, les interprètes, les éditeurs. On lui fait des ponts d'or.

Ne pas savoir, après cela, ce qu'est une double croche ? Mais combien d'abonnés de l'Opéra le savent-ils ? « En matière d'art, disait Gabriel Fauré, le succès et l'échec sont aussi des arguments ».

De tels arguments, Willy disposait selon son bon plaisir. Il pouvait faire acclamer ou faire tomber une oeuvre.

La critique musicale, pour Willy, n'est qu'un moyen. Il s'en sert comme de la photographie en couleurs, de l'histoire, des prouesses équestres. Ceci veut dire que le talent de Willy est essentiellement critique.

Restent les *Claudine.* Il est indiscutable que Willy en a sa large part créatrice, et j'ai dit comment et pourquoi.

Colette a réclamé à cor et à cris l'unique propriété des *Claudine.* Willy n'a pas bougé. Il s'est contenté de répondre : « Si les livres

---

(1)   Vincent d'Indy et Claude Debussy intimes de Willy m'ont confié qu'ils l'avaient souvent documenté.

contestés n'avaient pas connu le succès, on m'aurait attribué les raisons de leur mévente. Et quand même ne serais-je pas l'unique auteur des *Claudine,* il me resterait la gloire d'avoir formé un fier talent ».

Entre 1901 et 1933 ont paru neuf recueils des *Mots* de Willy. Le dernier est de Léon Treich. J'y ai glané : « Un homme à femmes vient à bout de chacune d'elles et se laisse mener par toutes ». Maurras et Barrès, proches amis de Willy, ne lui marchandaient pas leur admiration. Barrès insistait auprès d'Eugène Marsan et de moi sur « l'exemple d'une incomparable sûreté d'écriture ».

C'est sur l'initiative de Maurras que Jean-Marc Bernard fit plus d'une fois l'éloge de Willy dans *l'Action Française.* Fagus, à son tour, y put écrire : « Willy demeure l'un des maîtres de la prose française... et bien mieux que l'insupportable énervée qui se taille des réclames dans les rebuts de la gloire de son ancien mari, tantôt crachant dessus, tantôt coupant des cheveux en quatre ».

J'abandonne à Fagus son opinion sur Colette ; mais je partage sa manière de penser sur Willy. Peu m'importent les querelles de ménage, Willy, dans l'histoire littéraire, demeure le maître de Colette. Ceci n'empêche personne d'admirer *Sept Dialogues de Bêtes,* ni *La Retraite Sentimentale, Ces Plaisirs, Chéri.*

Et n'ai-je dit avoir à ma portée des liasses de lettres, écrites lors de la séparation, où Colette supplie Willy de reprendre la vie commune : « Je te dois tout... Au fond de mon erreur, quel désarroi ! Sans toi, je ne suis rien ». Voilà le ton (1).

Cette séparation ? En rien une affaire de propriété littéraire. Colette, dans tout l'éclat de sa jeunesse bourguignonne, de son talent naissant, de sa beauté de faunesse, faisait du Music Hall. Elle y jouait *Le Faune,* de Francis de Croisset, musique de Jean Nouguès, avec ce succès spécial aux déploiements lascifs de l'époque. Parmi les spectatrices passionnées, on ne tarda pas à remarquer la marquise de Belbeuf, née Morny, fille du ministre de Napoléon III et soeur du duc de Morny (Serge). C'était une

(1) Il est plus complètement question de cette correspondance plus loin. Plusieurs de ces lettres ont été publiées par mes soins pendant que Colette pérorait à la T. S. F.

femme brune, pas mal roulée, aux sombres yeux incandescents. Séparée de son mari, elle portait le plus volontiers des vêtements masculins, ce qui, alors, était tenu pour une atteinte à la morale.

Willy s'amusait à voyager dans des compartiments de dames seules. A la première observation, il répondait : « Je suis la marquise de Belbeuf ».

Vêtue d'une salopette de mécano, Mme de Belbeuf tournait, dans le cuivre, des robinets de baignoires. Peu férue d'orthographe, elle confondait le masculin et le féminin : Lesbos et Cythère.

Don Juane experte, elle débaucha Colette. Willy s'en amusa et déclara, le jour de l'enlèvement pour Gomorrhe : « Je ne puis me tenir pour cocu ».

On en rit, et le tout en serait demeuré là si Paris s'était tu. Il est vain de tenter d'obtenir de tels silences. Personne d'ailleurs ne les cherchait.

Le couple Colette-Belbeuf était bisexué. Mme de Belbeuf était connue pour son absolutisme. Elle avait dressé, dès sa nuit de noces, une cloison étanche entre les hommes et elle-même, disait-on, par dégoût du mari qui l'avait sabotée. J'hésite à le croire. Des femmes victimes de ce genre d'accident reviennent à l'homme sitôt qu'elles rencontrent un garçon qui les comprend. Mme de Belbeuf ne haïssait pas l'homme. En amazone autoritaire, elle en usurpait la place. Elle s'affirmait masculine en toute chose, de l'amour à la mécanique. Colette, elle, je l'ai dit, n'a jamais été qu'une amphibie, et il lui suffit d'une courte cohabitation rue Marbeuf pour fuir. Mitzi (1) lui défendait les hommes. Elle n'a jamais pu s'en passer, même à Lesbos.

Mmc de Belbeuf accepta de figurer aux côtés de Colette dans un sketch au Moulin Rouge.

C'était une sorte de ballet mimé et dansé que la fille de Morny avait écrit un soir de désoeuvrement, un peu comme son père qui se distrayait des soucis de la vie publique en composant des comédies comme *M. Chou-fleuri,* des proverbes, des revuettes.

(1)Colette, elle, écrit *Missie.*

Mme de Belbeuf mettait en scène l'Egypte pharaonique, une momie qui se réveillait du sommeil éternel, se dégageait de ses bandelettes, et à peu près nue dansait ses anciennes amours. La qualité de l'auteur, s'interprétant elle-même avec Colette, valut une publicité inouïe à ce qui méritait trois lignes d'écho rosse.

Soirée mémorable. Tout le Jockey-Club était là, alerté sans doute par M. de Belbeuf.

Willy, d'abord embêté, alla voir son avoué, Me Hébert qui lui dit : « Nous allons faire défense à votre épouse de figurer sur la scène. La loi nous le permet » (1). C'était là, pour Willy, un conseil trop simple. Il réagit : « Défi pour défi, je tiens le coup ». Il y avait en Villy du Guzman d'Alfarache. Et il laissa faire. Mais, au moment où tombait le rideau, Willy parut dans l'avant-scène, coiffé de son célèbre chapeau à bords plats, et applaudit avec ostentation.

L'orage qui était dans l'air se retourna contre lui. Ces gentilhommes bien pensants, souvent affichés au Cercle pour leurs dettes, et dont pas mal vivaient des générosités de vieilles maîtresses, se tournèrent contre le mari cynique, au nom du roi, de la morale, de la religion, et en un tel chahut que si les banquettes n'avaient pas été vissées, Willy les eût reçues au visage. Sifflé, harcelé, injurié, malmené, il se défila par une sortie de secours.

J'ai eu l'honneur de connaître Mme de Belbeuf. C'était une créature racée, d'une intelligence exceptionnelle, et, même travestie en mécano, réservée et pleine de tact. Comme elle ne tenait d'aucune façon à la publicité, je me suis toujours demandé comment elle avait couru au devant de telle aventure. Willy, qui la connaissait bien et la jugeait sainement, a toujours été convaincu que Colette l'avait embobinée. Mme de Belbeuf grimpa sur les planches parce que ceci conciliait les exigences de sa jalousie et son désir de voir Colette sortir d'un désoeuvrement qui lui était pénible.

(1) J'ai cédé à M. Leconte, bibliophile à Paris, une correspondance, adressée à Willy, par la mère de Colette. Elle prend hardiment dans le petit drame, le parti de son gendre, et déclare : « ... Willy, c'est affreux. N'avez vous pas l'autorité pour interdire à votre femme de monter sur les planches ? ». Etc. M. Leconte, en cas de contestation, tient ces lettres à ma disposition.

Résultat : Willy perd sa place de critique musical à *l'Echo de Paris* (Elle lui valait cent cinquante mille francs par an). Son départ fait d'ailleurs baisser verticalement le tirage du journal.

J'ai parlé souvent avec Willy de toute cette algarade.

Il me disait en riant : « La morale à rebours est encore de la morale. La publicité à rebours est encore de la publicité. La publicité, tout est là ! ».

Si les hommes que Willy amusa lui furent cruels, les dieux lui furent cléments. L'aventure se termina au Crotoy, dans deux villas jouxtes. L'une abritait Colette et la marquise de Belbeuf. L'autre, Willy et miss Meg Villars.

D'aucuns ont reproché à Willy cette saison passée au Crotoy en compagnie de Colette, dont il se séparait, de Mmc de Belbeuf, de Meg Villars, sa maîtresse.

Willy, en réalité, agissait logiquement. « Le jour qui suivit la tempête absurde du Moulin Rouge, m'a-t-il confié plus tard, j'arrêtai cette ligne de conduite dont je ne devais pas me départir : 1° Me séparer définitivement de Colette et me refaire une vie qui me plût; 2° Ne me brouiller avec personne, ni avec Mme de Belbeuf, ni même avec Colette. C'est Colette qui s'est fâchée avec moi après plusieurs mois de tentatives stériles pour la reprise de notre vie commune; 3° Ne répondre à aucune attaque directe ou indirecte de Colette; ne m'engager dans aucune polémique.

Opposer une courtoisie parfaite à toutes les méchancetés, à tous les mensonges d'où qu'ils viendraient !... J'ai fait promettre à Madeleine d'observer les mêmes réserves... Aux débuts de notre séparation je n'étais pas riche. Colette chantait misère surtout pour me faire chanter. Elle gagnait peu, d'accord, mais Mitzy la défrayait de tout. Le jour où j'ai su que Colette était dans le besoin, j'ai vendu la maison de Villeneuve-sur-Yonne, payée de mes deniers, et j'ai fait tenir, par Hébert, mon avoué, discrètement le produit de la vente à Colette... Pour me remercier elle parla de restitution ! » (1).

— Il me reste, disait en riant Willy, à collaborer à *la Revue des Deux-Mondes*.

Boutade!

Au collège Stanislas, Willy fut toujours le premier de sa classe en français, latin, grec, et son ami René Doumic, le second. J'ai entendu Willy dire à Doumic, devant la maison que celui-ci habitait rue Jacob : « Tu t'es rattrapé en franchissant les deux portes derrière lesquelles tu étais sûr de ne pas me trouver : l'Académie et la *Revue des Deux-Mondes* ». -

L'éditeur Querelle demande à Willy ses Mémoires, Willy refuse par cette réflexion : « Mes Mémoires ne seraient drôles que si je parlais non de moi, mais des autres. Il y a trop longtemps que *mes autres* sont morts ».

J'ai retrouvé Colette quelques mois après le scandale. Willy l'avait contrainte à la séparation ; mais cette séparation, je l'ai dit, fut plutôt théorique. Sans le sou, en plein désarroi, Colette ne songeait qu'à regagner à n'importe quel prix le domicile conjugal. Mme de Belbeuf, avec laquelle elle cohabitait depuis six mois, lui menait la vie dure et prétendait la dompter à coups de cravache.

J'ai dit l'impression bizarre que Colette avait suscitée en moi. Elle n'était ni belle, ni jolie. Mais, pour l'avoir vue de près, suante et odorante des exercices de sa danse, nue sous une peau de panthère, j'éprouvais le désir de sa bestialité. Je ne sais pourquoi, d'ailleurs. On raisonne difficilement ce genre de sensations quand on ne s'appelle pas Colette. A la revoir, ce désir renaquit plus violent en moi. On ne raisonne pas plus avec les sens qu'on ne badine avec l'amour. Des femmes laides et vulgaires peuvent nous égarer dans des zones de désirs impérieux et s'implanter en nous comme des idées fixes là où d'autres plus jolies et plus fines ne le pourraient pas. Colette avait en outre la séduction de cette intelligence de l'instinct que je n'ai connue qu'à elle. Et l'érotisme n'est autre chose que l'aspect intellectuel de l'amour. Cet aspect-là, pour moi, c'était du neuf.

D'autre part, je déplorais de savoir Colette malheureuse. Elle l'était vraiment. Avant de s'échapper définitivement de chez *Mitzi* (tel était le surnom de Mme de Belbeuf sur les plages de

---

(1) C'est la stricte vérité. J'ai cédé à M. Leconte la copie de l'acte de vente établie par le notaire et une lettre de l'avoué Hébert mettant Willy au courant du transfert des fonds selon ses instructions.

Lesbos), Colette se plut à quelques fugues. Elle cherchait des alibis dans la vie du music-hall. J'avais à cette époque pas mal d'argent. Un petit héritage en *trois pour cent* français. J'ai eu la sagesse de laver ces titres, et j'offris à Colette de l'aider. J'ai pu l'obliger de quelques médiocres sommes, et je pensais que ce serait à fonds perdus. Il n'en fut rien. Le tout me fut remboursé scrupuleusement.

Ceci permit à Colette de quitter le domicile de Mme de Belbeuf. J'ignore les circonstances de cette séparation. Il ne pouvait s'agir d'une brouille. Colette, en effet, alla s'installer chez Thérèse Robert, qui habitait rue Cérisoles, puis dans un petit rez-de-chaussée d'une pièce, cuisine et salle de bains, et dont je ne sais plus s'il était rue Clément-Marot ou rue François-Ier (1). Mme de Belbeuf habitait rue Marbeuf et Willy s'était installé, 6, rue Chambiges. Tout ce petit monde vivait, en somme, dans l'espace qu'eussent circonscrit les frontières d'un carré de cinq cents mètres.

Pourquoi, malgré mon désir d'elle si violent, et auquel elle était indifférente, dont même elle se moquait, Colette supportait-elle ma compagnie au point qu'il lui arrivait de la souhaiter ?... Mme de Belbeuf l'avait isolée de beaucoup de ses amis, qui, d'ailleurs, croyant que leur séparation était une brouille, prenaient fait et cause pour Willy. Au *Mercure de France,* Willy demeurait plus que jamais l'ami des Valette et de leur brillant entourage. Colette, elle, n'était « qu'un auteur de la maison d'édition ».

Willy, à qui Colette, depuis la séparation par lui imposée, écrivait une ou deux fois par jour (2), chez les Vallette, où je la rencontrais, s'offrait le luxe de la défendre. Il me dit, un soir, dans le cabinet de Vallette :

« Je sais que vous voyez souvent Colette. Pourquoi vous en cachez-vous devant moi ? Je n'ai jamais pensé que l'on dût nous sacrifier l'un à l'autre ».

---

(1) Elle n'y resta qu'un mois, environ, et s'en fut rue Toricelli, dans les Ternes.

(2) Je parle plus loin de cette correspondance singulière et mes citations prouvent ce que j'ai raison d'en penser. Si Madeleine et moi n'avons pas répondu par leur publication complète aux attaques de Colette qu'elles infirmaient, c'est qu'avant de mourir Willy nous avait recommandé de ne jamais répliquer ni à un livre, ni à un article, ni à une déclaration de son ex-épouse qui put, de la sorte travailler avec sécurité.

Et, comme chacun rendait hommage à ces paroles où Willy s'avérait le plus galant homme qui fût, il déclara : « En somme, dans cette affaire, tout le monde s'est brouillé avec Colette, sauf moi ! ».

Colette, elle, ne songeait qu'à revoir Willy. Elle fit, à cet effet, outre ses lettres incessantes, diverses démarches. L'une auprès de Charles Saglio, directeur de la *Vie Parisienne,* qui l'aidait de son mieux, en véritable ami. L'une auprès de Vallette. Tout ceci en vain.

La troisième tentative, elle crut pouvoir l'amorcer auprès du bon petit camarade que j'étais. Elle me dit, un soir que j'avais été la prendre dans un music-hall de la rue Biot, où, pour quinze jours, elle se produisait avec un succès médiocre : « J'ai faim. Allons manger du rrrostbeef froid mayonnaise ».

Je l'amenai à la Taverne de Paris, où elle absorba des quantités prodigieuses de tranches saignantes. Les viandes rouges ont toujours exercé sur Colette une attraction particulière. Elle m'a souvent affirmé qu'elle parvenait, à force d'en ingurgiter, « à se saouler plus terriblement que d'alcool ».

En tout cas, ces tranches-ci la rendirent bavarde. Elle me confia : « J'ai la conscience qu'avec Missie (1) j'ai fait une gaffe énorme. C'est la vraie raison pour laquelle je l'ai quittée, alors que, chez elle, je ne manquais de rien. Avec Willy, tout peut, tout doit même s'arranger encore. C'est de ce côté qu'est ma vie. Certes, pas toujours en rose. Willy a des défauts terribles, mais son intelligence, son esprit et son coeur n'ont d'égale que sa vraie compréhension de moi. Il se dérobe à toute rencontre. Si je le vois, même par surprise, je suis sûre d'arriver à ce que je désire.

Pourquoi ne serais-tu pas le metteur en scène de cette surprise-là ? L'impromptu de la réconciliation ? ».

Ma réponse : « Je me refuse absolument à truquer le destin dans de telles conditions. Ce serait de la pure déshonnêteté à l'égard d'un ami qui s'est toujours conduit comme tel envers

---

(1)Plus exactement *Mitzi,* nom d'un chien qu'aimait beaucoup Mme de Belbeuf et dont ses familiers affublaient celle-ci. Colette disait et écrivait *Missie.*

moi. Par contre, ce que j'accepte, c'est de le voir, de lui dire tes sentiments, tes dispositions, et de plaider la cause de ta sincérité ».

Elle haussa les épaules en mastiquant. Et, la bouche pleine, me jeta : « Fais ce que tu veux. Cela ne servira à rien ».

Je parvins à toucher Willy le surlendemain, chez lui, rue Chambiges. Je savais qu'il aimait à parler des choses graves avec ce sourire et ce détachement qui seuls donnent à l'âme la lucidité nécessaire à en traiter comme il convient. Je le mis de bonne humeur avec quelques plaisanteries, et, comme il était midi passé, je me permis de l'inviter à déjeuner. Ceci l'éclaira. Il me savait gourmand. Il était, lui, gourmet, gourmet très fin, sans prétention à l'expertise. En outre, quoique assez sobre, sûr dégustateur de vins.

L'un des faibles de Willy était la cuisine savoyarde, qui, comme la dauphinoise, comporte des débauches de plats gratinés. Nous nous attablâmes donc chez Lavorel, restaurant savoyard très en vogue. Et Willy, pour manifester sa joie, devint un feu d'artifice de calembours.

On nous apporta un plat que Willy tenait pour supérieur à tant d'autres. Consommateur systématique de poisson, sa prédilection allait au saumon grillé sauce béarnaise.

— Mon cher ami, me dit-il, voici que nous en sommes aux choses sérieuses. J'imagine que si vous vous fendez d'un déjeuner, ce n'est pas seulement pour la joie d'ouïr les plaisanteries de notre cher ami Henri Maugis. Vous avez certes aussi pas mal de choses à demander à Willy. Son principe est de parler de choses sérieuses en mangeant. Vidons nos verres à nos santés respectives, et après, videz votre sac.

Je m'y pris avec une certaine prudence et non sans avoir ménagé mon effet en tentant de l'atténuer, j'arrivai à mon but. J'exposai la question en m'excusant de me mêler de ce qui ne me regardait pas. N'étais-je pas l'ami de Colette ? Cette amitié me permettait-elle de décliner la mission de confiance dont elle me chargeait ?

Au fur et à mesure de mes phrases, je remarquai que le visage de Willy se renfrognait. Je fus d'ailleurs vite certain que cette réaction trahissait une émotion réelle.

En fin de compte. Willy me répondit avec une gravité que je ne lui avais jamais connue avant, ni après :

— Vous n'êtes pas le premier émissaire. Il y eut Vallette et Saglio avant vous. Je vous ai néanmoins écouté jusqu'au bout, car vous plaidiez bien, ainsi qu'il le fallait, sur le ton juste. Mais pensez-vous que jamais avocat éloquent ait fléchi la conscience d'un juge ? Colette, qui se souvient de nos fortunes, veut bien consentir à l'oubli de ses déboires. Ce qu'elle souhaite est impossible, d'abord parce qu'elle a dépassé la mesure en défiant l'opinion, ensuite parce qu'une reprise de la vie commune ne lui apporterait rien de ce qu'elle en attend. Je suis moi-même dans une situation difficile, et j'ai plus encore de créanciers que d'amis intimes, ce qui n'est pas peu dire. Il me reste ma plume et mes relations pour me tirer d'affaires. Nul doute que Colette me laisserait travailler. Nul doute qu'en quelques jours de temps elle me brouillerait avec tous ceux sur lesquels je puis compter. Vous n'avez pas idée jusqu'où peut aller sa générosité en matière de distribution de venin. C'est probablement la seule chose qui l'empêcherait de se débrouiller. En outre, cette tentative de réconciliation vient bien plus d'un sens prodigieux de l'intérêt que du coeur. Le coeur de Colette repose, actuellement, entre les seins frais et confortables de Bobette. Vous connaissez cette rose épanouie...

Bobette, c'était Thérèse Robert !

Willy coupa court à l'entretien essentiel de notre déjeuner en me confiant que Bobette était la meilleure fille du monde, mais qu'il fallait y prendre garde, d'abord parce qu'elle était encore l'amie de Maurice Joyant, dont j'étais le collaborateur, et puis parce que, sur les plages de Lesbos, les potins, les ragots, la médisance, la diffamation, les lettres anonymes *charançonnent* et que le vent marin en emporte assez dans son souffle pour empoisonner le monde.

En quittant Willy, je me rendis tout droit chez Colette. Elle n'était pas chez elle. La concierge était chargée de me dire d'aller la prendre à onze heures du soir à l'Européen, rue Biot. J'appris en outre qu'il s'agissait de la dernière représentation de ce *Faune* qu'elle s'obstinait à imposer au public.

Hélas ! Ma soirée était prise. Je dînais chez Francis de Croisset, rue de Tocquevile. Croisset, pour le ballet, Jean Nouguès pour la musique, étaient, on le sait, les signataires du *Faune*. J'envoyai un pneu à l'Européen, où je demandais à Colette de bien vouloir m'attendre à deux heures de l'après-midi, le lendemain, et de me réserver sa journée, car j'avais à lui parler longuement.

Croisset était alors l'un de mes intimes. La vie, par la suite, devait quelque peu nous séparer. Jamais rien n'a démenti notre amitié fervente.

Croisset était seul. Je pus parler à coeur ouvert. Je lui racontai la tentative de rapprochement manquée et je lui confessai le très vif sentiment que j'éprouvais pour Colette.

Il me répondit :

— Sentiment... Sentiment ? Mettons que vous éprouviez un très vif désir de coucher avec elle. Ceci ne se raisonne pas. Est-ce vraiment si difficile ? Je ne sais. Le mieux est de vous satisfaire. Au bout de trois nuits, vous en serez dégoûté.

Je lui répondis en m'insurgeant contre cette façon de traiter une artiste incomparable. Et j'ajoutai :

— Elle est actuellement très malheureuse. C'est le bon moment de toucher son coeur en la consolant de son mieux.

Croisset me répondit en riant. Quand il riait, c'était souvent avec une note de férocité :

— Le coeur de Colette ? Ne parlons pas des absents. Vous êtes aveuglé par une illusion. Je la connais bien, Colette. C'est une carnassière, une réaliste et une égoïste à pleines dents... Ne vous tourneboulez pas devant cette ménade. Quant à sa gratitude, voici.

Et il me raconta toutes les difficultés éprouvées pour la reprise du *Faune,* par lui négociée au prix de tant d'embêtement, et dans le seul désir d'obliger Colette, de la tirer d'un mauvais pas. Cette reprise n'avait point obtenu le succès espéré par la direction. Et celle-ci avait déclaré à Croisset qu'il n'y avait tout de même

« pas assez de gougnotes dans le quartier de la place Clichy pour remplir une salle pendant un mois ».

De son insuccès relatif, Colette se vengeait avec son arme, le *pneu*. Elle en avait envoyé des liasses à Croisset pour attribuer sa mauvaise fortune à la musique de Nouguès. Mais Nouguès avait reçu autant de messages dénonçant l'absurdité, désormais démontrée, du ballet lui-même. Nouguès avait fait tenir ces chefs-d'oeuvre de perfidie à Croisset.

Je dis : chefs-d'oeuvre. C'en étaient. Jamais une femme n'a apporté tant d'astuce à saper la bonne entente entre deux amis, qui d'ailleurs devaient le rester solidement.

Cette révélation éloquente ne m'émut point, tant j'étais aveuglé. Je répondis à Croisset que l'infortune d'une artiste excusait bien des choses, ne les expliquant que trop.

Ce détail, Croisset, qui, à cette époque, vivait exclusivement de ses droits d'auteur, avait obligé Colette de quatre mille francs.

Sur le bureau d'acajou du cabinet de travail de Croisset, il y avait de grandes photos de Colette dansant le *Faune*. Elle s'y trouvait dans les attitudes les plus suggestives. La photographie ne saisit qu'un instant du mouvement. C'est toujours le meilleur. Je demandai à Croisset de me faire cadeau de ces photos, et, rentré chez moi, je passai la nuit sans pouvoir en détacher les yeux.

Je me présentai chez Colette en proie à un trouble profond dont elle ne saisit d'abord que l'angoisse qu'il apportait en moi. Nous étions seul à seule dans sa chambre unique. Colette n'avait personne à son service. Elle me regardait, interloquée, et m'écoutait attentivement.

— Tu ne peux douter, lui dis-je en tremblant, de toute la sincérité loyale que j'ai mise à parler à Willy. Voici exactement sa réponse. Je sais qu'elle va t'apporter une désillusion. Mais c'est précisément le chagrin que tu en ressentiras qui m'émeut à ce point.

Pendant mon bref récit, Colette se crispa, les dents serrées, les yeux en feu. Des lèvres sèches, tombaient des insultes féroces : « Saligaud... maquerrreau... maquerrreau, je le répète... Voleur... Maquerrreau !... »

Tant de gros mots ne m'influençaient pas. Je savais déjà que c'est en le traitant de maquereau qu'une femme rompt toujours avec celui qu'elle a aimé.

Colette roulait les « r ». Cette tambourinade seule apportait un accent d'originalité médiocre... Elle-même, d'ailleurs, finit par en rire, mais d'un rire méchant qui secoua jusqu'aux flacons de la coiffeuse. Et elle ajouta :

— Tu vas voir ce qu'il va prrrendrrre.

Après un moment de silence, je lui dis :

— Colette, j'ai à te parler de choses sérieuses. Nous allons sauter dans un fiacre, qui nous mènera à Marly. Nous nous promènerons dans la forêt printanière et nous y dînerons. Tu seras rendue à Paris pour minuit. Ça va ?

— Ça va d'autant mieux que cela me changera les idées. Mais, pour ne rien troubler de cette escapade, conte-moi d'abord, ici, ce que tu as à me dire d'important.

— Je veux bien. J'eusse préféré une préparation. Tu m'as l'air encore toute bouleversée.

— Moi ? Crrrois-tu un instant que la liquidation d'un tel individu puisse me bouleverser ?

— Tant mieux. Voici. Tu te trouves livrée à toi-même, en pleine insécurité. Il te faut travailler. On ne travaille bien qu'avec la paix du coeur et la certitude du lendemain. C'est à présent mon cas. Il faut aussi du confort. Cet exigu perchoir ne te permet pas d'entreprendre quelque chose. J'ai, moi, boulevard Lannes, à l'orée du Bois, trois belles pièces. En outre, tu sais que je t'aime. Unissons nos vies. Tu quitteras les planches, qui ne mènent à rien. Nous travaillerons. Je veillerai sur toi de mon mieux. Je t'aimerai si bien que tu finiras par m'aimer... Qu'en dis-tu ?

Mes regards caressaient le tapis. Je levai les yeux sur Colette. Elle me regardait, silencieuse, éperdue, sans avoir l'air de me comprendre... J'attribuai à cette sorte d'émotion la valeur d'un aveu. Un mouvement des épaules me fit croire qu'elle esquissait le geste de m'ouvrir les bras. Je me jetai sur elle, lui broyant la taille, écrasant ses seins et ses lèvres à force de la maintenir contre moi, avec une frénésie sauvage.

J'étais le plus fort. Je sentis qu'elle s'abandonnait, et nous tombâmes tous deux sur son lit, ne formant qu'une masse qui rebondit...

Je crus alors que le monde s'abolissait dans un vertige. Nous étions immobiles, muets, collés l'un à l'autre. Puis notre étreinte se desserra, et Colette, d'un geste direct, fit le nécessaire pour s'assurer de la tension extrême de l'état où je me trouvais. Un instant son visage changea, empreint d'une sorte de gravité. Elle se mordit la lèvre inférieure, m'exhibant des incisives et des canines bien acérées, dévora son sourire naissant, puis me caressa comme elle eût caressé une chatte... une de ces chattes qu'elle aimait tant... Les rôles changeaient. Colette, de toute sa féminité, me tenait à sa merci. Dès lors, la plus forte, c'était Colette... Brusquement elle rompit le charme, me repoussa en riant comme une petite fille : « A prrrésent que te voilà calmé, filons vers Marly, nous y passerrrons, en bons camarrrades, une soirrrée agrrréable... ».

C'est exactement ce qui se produisit.

Colette était arrivée à ses fins par un artifice cruel qu'elle tenait pour une habile plaisanterie. Je lui plaisais en tant que petit copain. Autrement, je ne lui disais rien. Je lui étais commode et dévoué, elle ne voulait pas risquer de me perdre... Ne pouvais-je toujours lui être d'une utilité quelconque, ne fût-ce qu'en la sortant les jours de solitude cruelle qui devenaient nombreux ?

S'imaginait-elle, en m'assujettissant, bonne féline, sous sa caresse, avoir brisé définitivement mon élan vers elle ? Il n'en fut rien.

Je me résignai, en me disant naïvement que la scène que je viens de narrer n'était peut-être qu'une première victoire. En outre, n'était-elle encore l'épouse de Willy ? Scrupules ajournant la consécration de mon sentiment sincère ? Mon âge ? J'étais à peine majeur... Je songe à cette correspondance dont Colette harcelait celui dont elle portait encore le pseudonyme, à son désir de renouer avec lui. Elle avait tout fait pour cela. A présent, c'était le refus, et nullement pour des questions de propriété littéraire.

Colette, saoule de haine, s'apprêtait à toutes les cruautés, à tous les chantages. La panthère déchirait déjà sa proie, en paroles.

En fait, elle ne déchira rien du tout, et Willy ne répondrait pas un mot à ses explosions diffamatrices.

Mais Colette devait, après le *Faune,* déchaîner un bref et terrible orage en jouant Paniska, dans le *Pan* de Van Leerberghe. Toute à son lyrisme lyrique et lascif, elle en riait, se méfiant des tête-à-tête. Mon chagrin l'amusait. Elle riait de mon tourment.

Ce fut bien malgré elle que mon sentiment, que je croyais éternel, se dégonfla comme un ballon qu'un gosse vient de crever.

Sachant Colette seule à Bruxelles, où l'on jouait *Pan,* je pris le train de nuit, débarquai à neuf heures du matin, me précipitai à *l'Hôtel du Grand-Miroir,* où Colette me reçut dans sa chambre, au lit.

Un pied nu dépassait les draps. Il me parut énorme, noueux. Pour le reste, la toile et la laine voilaient, sans rien m'en révéler, les formes convoitées. Nous bavardâmes, l'accent bourguignon me faisant frémir, Colette couchée et moi assis au bord du lit...

Je me sentais tout différent d'un amoureux transi... Et je me surpris à me demander pourquoi je ne m'étais pas résolument rué à l'assaut de ce corps agile et musclé, de cette chair chaude... Colette semblait d'ailleurs avoir prévu cette offensive. Elle avait tiré les draps jusqu'au menton, et seul le modelé expressif de son visage ironique, luisant, émergeait de la toile, avec ce terrible pied si décevant.

Soudain, dépitée peut-être, Mme Colette s'étire, exhibe deux bras musclés et des épaules admirables, bâille sans grâce et me dit :

— Je me lève. Nous irrrons déjeunerrr.

Alors, elle rejette les draps, saute comme un jeune jaguar et surgit toute nue devant moi, ébahi.

Il n'y avait pas de cabinet de toilette. Un paravent séparait le lavabo, le bidet du reste de la pièce. Et c'est derrière ce paravent que Lilith se réfugia.

Au son de l'eau qui glougloute, je me revois encore méditant la surprise de ce nu. Le buste était superbe, les seins tombant à peine. Mais les jambes, trop fortes, désharmonisaient l'ensemble des formes ; les reins et les lombes étaient ceux d'une lutteuse, les fesses s'avéraient énormes et plates... Dans une fumée de cigarette s'adoucit mon désenchantement...

Soudain, l'eau cesse de couler. Et je sursaute au bruit d'un pneu qui crève... Colette rit et annonce :

« Un marron ». Nouveau rire, nouveau bruit : « Deux marrrons... ». Puis, de même : « Trrrois marrrons ». Enfin, dans un éclat d'hilarité : « C'est plus forrrt que moi. Le plaisirre de te revoirrr ! Faut qu'je pète !... Quatrrre marrrons. »

Il n'en fallut pas cinq pour me dégoûter complètement.

N'ai-je déjà dit que, plus tard, je devais apprendre que dans le genre, Léo Colette ne réussissait pas moins bien ?

3

Peu après les événements consécutifs à la rupture de son mariage, et que je viens de raconter, Willy s'exila sur la rive gauche, avenue de Suffren, non au 159, où il devait mourir, mais juste derrière la Tour Eiffel, dans un appartement situé au-dessus d'une boucherie, et qui fut mis au nom de Meg Villars.

D'autre part, sans la fuir, depuis l'aventure de l'hôtel bruxellois du Grand-Miroir, je me sentais peu de joie dans mes rencontres avec Colette.

Elle se produisait à nouveau de plus en plus en la compagnie de Thérèse Robert, et il m'arrivait de me demander quelle fatalité bizarre pouvait relier ces deux femmes l'une à l'autre.

Lesbos ? Certes ; mais c'est là une raison vague et incomplète. Je sais bien que la vie de deux femmes unies par le goût des baisers de Gomorrhe ne peut être comparée à celle d'amants normaux. Elle est épisodique, et, la plupart du temps, n'empêche pas l'intervention de l'homme. Ces dames ne tolèrent point sa présence seulement dans les chemins sinueux et pleins d'ombre de leur jardin secret.

La belle Thérèse avait tout de la femme à hommes et passait pour telle. Ne m'était-il pas arrivé d'expérimenter que c'étaient là ses dispositions ?

Thérèse était élégante, belle, superbement épanouie dans sa fraîcheur blonde et l'éclat de sa carnation mais en elle, tout était délicat, fin, modelé, pour recevoir la caresse plutôt que pour en donner.

Colette, dépouillée de ses seins, réaliserait à peu près le corps d'un jeune garçon un peu boursouflé. Cette étreinte si fréquente d'une reine par un garçon boucher me laissait rêveur, et je serais hésitant encore, sans le hasard, ce bouffon des dieux, qui me réapprit le chemin de la maison de Thérèse.

La Comédie Royale reprenait ma pièce *Tant va la cruche à l'eau,* et cette pièce-là, c'était à Thérèse, cette fois, à l'animer. Elle jouait souvent de mes pièces. Rien ne s'expliquait mieux, si l'on songe que ces petits théâtres, dits théâtres à côté : *Mathurins, Comédie Royale, Tréteau Royal, Théâtre Impérial, Capucines, Théâtre Doré, Théâtre Fontaine,* étaient des sortes de vitrines destinées à produire, aux yeux d'un public trié sur le volet, des femmes gracieuses et souples dans des rôles faits pour elles, afin qu'elles pussent se prévaloir d'autant d'esprit que d'élégance, de joliesse et de beauté.

De mes deux actes, la créatrice avait été Jacqueline Sandy. Leur mise en scène était faite, et les qualités physiques de Thérèse s'apparentaient à celles de Sandy. Je n'avais donc qu'à me déranger pour les deux dernières répétitions, celles qui précédaient immédiatement la générale. Ce fut à cette occasion que je retrouvai Thérèse.

On se souvient que nous avions eu un caprice passager l'un pour l'autre. Nous en conservions un souvenir si agréable qu'il nous suffit de nous retrouver pour recommencer.

La facilité avec laquelle Thérèse renoua me surprit. Je lui dis que je croyais son coeur occupé par Colette, et que, malgré mes velléités, je n'entendais faire de la peine à personne.

— Rassure-toi, me répondit-elle. Colette m'est revenue comme un oiseau blessé pour se faire dorloter un peu. Tu sais aussi bien que moi qu'elle vient d'être très malheureuse. Comment résister à cela ?

Les femmes sentimentales ont le goût du malheur. Ce détail, chez Thérèse, n'échappait point à Colette, qui, à défaut du don d'être malheureuse uniquement parce qu'elle s'en persuadait, avait un don extraordinaire de tirer parti de tout. Les égoïstes ne sont jamais vraiment malheureuses. Leur seul malheur serait dans quelques privations.

Le soir de la répétition générale de ma pièce, Colette parut à l'orchestre, flanquée d'un être peu ordinaire que je connaissais fort peu, mais que j'étais heureux de revoir, au point que je l'invitai, de même que Colette, à venir souper avec Thérèse et moi.

Colette devinait notre rapprochement et n'en prenait aucun ombrage. Elle me dit simplement :

— Vous voilà recollés. Tu vas redevenir sortable.

Mon attention se concentrait, charmée, sur M. Boulestin.

Petit, ventru, légèrement chauve, Xavier-Marcel Boulestin fut le secrétaire de Willy de longues années et l'un des plus beaux esprits de son époque. Willy l'avait du reste révélé, non seulement au public, mais à lui-même, et Boulestin lui fut, toute sa vie, profondément dévoué.

De bonne heure, ce singulier petit monstre s'était saturé de littérature anglaise : Rossetti, Walter Crane, Beardsley, Moore, Wilde, Sherard, Meredith, Walter Pater, William Morris, n'avaient de secrets pour lui. Non plus le fidèle R. Davrey.

Boulestin était pétri des vices les plus variés. Willy disait que, non content de la pratique des sept péchés capitaux, il les associait en savantes combinaisons.

Bien que fort secoué par le travail que Willy exigeait de lui, Boulestin avait trouvé le temps de traduire *L'Hypocrite Sanctifié*, de Max Beerboom, traduction dédiée à *Willy, naturellement.* Pas mal d'éditeurs la refusèrent. J'en parlai à M. Grosfis, qui, associé au poète Henri Vandeputte, publiait la revue *Antée,* et s'était improvisé éditeur à Bruges, sous le nom de Arthur Herbert.

M. Grosfis accepta de publier cette traduction, qui obtint les suffrages de la société lettrée, et Boulestin m'en fut toujours reconnaissant.

Un lord millionnaire — en livres sterling — accepta de commanditer Boulestin, qui rêvait d'installer à Londres une maison de décoration française. Les Anglais nous avaient imposé le *Modem' Style.* C'était à nous de leur répondre. L'entreprise périclita. Mais, à Londres, Boulestin publia un chef-d'oeuvre troublant :

Les Fréquentations de Maurice.

C'était, avec *Escal-Vigor,* de Georges Eckhoud, et *Le Bilatéral,* de Rosny l'Aîné, la première étude sur l'uranisme, qui s'avérait, d'ailleurs, l'une des activités de Boulestin. Le livre fit une belle carrière et fut traduit en anglais. Des deux côtés : France et Albion, il fut question de poursuites. Willy sauva Boulestin et les éditeurs. On vendit le texte anglais en France et le texte français fut diffusé à Londres. Willy déclarait : « Les magistrats ne sont jamais polyglottes ; les tantes, au contraire, le sont ».

La liquidation de son entreprise ne découragea ni Boulestin, ni son commanditaire. Boulestin s'occupa, plusieurs années durant, du secrétariat particulier de son Lord et devint amoureux de l'institutrice de *ses* enfants. Il l'épousa et eut un trait de génie. Il dota Londres, où l'on ne déjeune point, ou mal, du restaurant à la française qui lui manquait.

L'établissement connut la vogue. Tout le *high life* s'y donna rendez-vous. Je le connaissais, mais j'ignorais qu'il fût animé par Boulestin, le jour où fantaisie me prit, en 1926, d'y inviter Abel Hermant. Boulestin nous reconnut, La serviette sous le bras, il vint nous complimenter, déclara que nous étions ses invités, nous imposa un menu princier, arrosé de vins royaux et d'eaux-de-vie superbes, qu'il vint déguster avec nous.

J'attendais de l'argent de Paris. Il tardait à venir, et, deux jours plus tard, gêné, j'allai demander à Boulestin de me faire confiance pendant quelques jours. Boulestin s'indigna. Il me déclara tout net que c'est moi qui avais à lui faire confiance et que j'étais son invité, soir et matin, pendant tout mon séjour. En outre, spontanément, il me prêta quinze livres sterling, que, d'ailleurs, mon chèque reçu, je lui remboursai. Mais il exigea que je vinsse prendre tous mes repas chez lui. Or, Abel Hermant, quarante-huit heures plus tard, eut besoin du même service que moi, Boulestin le traita de manière identique; et Abel Hermant négligea de lui restituer la somme prêtée.

Boulestin nous dit: « Ça me fait plaisir de vous voir. Ces Anglais sont d'une indifférence parfaite, ou, du moins, ils l'affectent par *cant,* devant mes meilleurs plats. Ce sont des cochons ! Des cochons ! Vous, du moins, vous réhabilitez le genre humain. Il est vrai qu'il existe des Anglais enthousiastes. Ils prennent l'eau. de Seltz pour du champagne extra-dry ! ».

J'ai revu Boulestin à chacun de mes séjours à Londres pour être honoré du même traitement.

C'est en 1944 que Boulestin décéda. Il laissait des *Mémoires* étonnants. Le manuscrit, que j'ai vu, était d'un bout à l'autre établi sur des menus. Le restaurateur, devenu riche, et ayant fait de l'argent en quantité suffisante pour rembourser son commanditaire, n'avait pas tué l'écrivain.

Boulestin n'exerçait aucune influence sur Colette. Par contre, il revendiquait la responsabilité d'un *Willy anglomane !*

On a dit que c'était l'aventure britannique de Boulestin qui avait déterminé l'anglomanie de Willy. Je n'ose y croire et, d'abord, parce que, dans sa solide écorce de montagnard, Willy, infiniment sensible et cultivé, n'a jamais subi l'influence de personne. La sienne, en revanche, sur son entourage, était profonde et s'exerçait beaucoup sur Colette, dont le style et la philosophie sont restés fortement pénétrés de ce que Barrès, en riant, appelait le *Willisme.*

Les deux écrivains, si différents l'un de l'autre, se connaissaient depuis toujours et s'estimaient. La vie les sépara vers 1900; elle les réunit étroitement en 1914 dans le journalisme que les circonstances imposaient à tous les talents. Willy, patriote sans transaction, demeurait dans la note des cocardiers de l'époque de Fachoda. Il n'aimait pas les Anglais... ou, plutôt, il ne les aimait qu'à Paris. Il les aimait parce qu'ils l'amusaient, et c'est caricaturalement qu'il lui arrivait de les singer un peu. Il parlait un peu l'anglais et pas mal du tout l'allemand. Il affubla sa bonne amie, Meg Villars, de la qualité de *Miss,* dont elle se prévalut sur les affiches de *Music-Halls,* et lui-même honora l'Entente cordiale en portant un magnifique Ulster et un extraordinaire costume à carreaux bruns que je lui connus longtemps. Les tissus étaient, en ces temps-là, d'une solidité qu'ils ne retrouvent que rarement aujourd'hui.

Avant d'émailler ses romans et ses chroniques de mots

relevant du vocabulaire coloré de Bruxelles, Willy eut recours à la lexicologie anglaise. Il prit l'habitude de libeller la *courtoisie* de ses lettres par le simple mot anglais *yours,* dont la brièveté lui plaisait. Il prit même un pseudonyme anglais, Jim Sminley, sous lequel, comme sous les noms d'Henri Parville et d'Henri Maugis, il s'est mis en scène perpétuellement dans son oeuvre.

Ceci déclaré, il faut avouer que si la culture allemande de Willy était réelle et très sûre — peut-être à cause de la musique et de la musicologie — la culture anglaise de Willy se bornait à peu de chose. Il avait une teinture des romanciers, des poètes, de Shakespeare, et voilà tout. Mais il avait assez d'assurance pour faire croire à bien mieux.

Quant à l'Angleterre elle-même, rien ne l'y attirait. Lorsque Sir Thomas Barcley, grand avocat international, fit son référendum dans l'élite des deux pays en faveur du tunnel sous la Manche, Willy répondit par ce quatrain :

> *Pour voyager en Angleterre,*
> *Un tunnel monstre est en projet,*
> *Mais le tunnel que je préfère*
> *Est certe une aile de poulet.*

Il n'était guère question d'anglomanie, ce soir-là, chez Viel, et il ne fallait pas être grand clerc pour comprendre ce que voulait Colette, qui se laissait balader par Boulestin.

Rien ne l'attirait spécialement de son curieux et puissant talent. Boulestin me confia qu'elle l'accaparait depuis le déjeuner pour dire du mal de Willy, afin qu'il le répétât.

Tant de stupidité atteste ce que la haine aveugle peut faire d'une femme intelligente.

Boulestin, foncièrement attaché à Willy laissait tomber ce fatras d'ordures sans en être influencé d'aucune façon. En outre, le manque de mesure de Colette aurait suffi à atténuer l'effet qu'elle en attendait chez le plus disposé à l'accueillir.

Le visage de Boulestin s'avérait celui d'un sceptique, dans sa rondeur fine et par des yeux extrêmement vifs. Une précoce obésité ajoutait à cette expression que Colette définissait « lourde d'esprit léger ».

Ceci n'est point du ton des *Liaisons dangereuses* ni des *Fréquentations de Maurice*. Cette dernière oeuvre est d'une rare perversité. Elle témoigne d'une connaissance profonde des moeurs d'un certain milieu, d'un esprit aigu, d'une sensibilité ambiguë.

Colette soutenait que rares sont les romanciers qui ont traité des sujets aussi scabreux avec autant de profondeur que de tact. Cette tentative a, depuis, été renouvelée par des écrivains de premier ordre, dont le travail prouve qu'il est des oeuvres impossibles à démarquer.

J'ai déjà fait allusion à l'intelligence de Colette et à la forme spéciale qu'elle revêt : celle d'un perfectionnement de l'instinct de conservation et d'appropriation.

Colette ne voit les choses que par rapport à elle-même et elle ne comprend les êtres que pour le profit qu'elle peut en tirer. L'animal sauvage cherche sa nourriture toute la journée. Devant une matière animée ou morte, il n'a qu'une réaction; ça se mange ou ça ne se mange pas. Voilà pourquoi l'intelligence de Colette n'a jamais dépassé la compréhension d'elle-même, de sa satisfaction immédiate, de son propre intérêt.

Le reproche que l'on peut faire à ce genre d'état d'esprit est d'être borné. Colette a toujours été dominée par une idée fixe et limitée par elle.

Ceci n'est pas seulement vrai pour sa pensée, sa conversion, mais aussi pour ses livres.

Cette manière d'intelligence a le défaut d'être néfaste. L'infériorité de l'égoïste est de ne jouir que d'un raisonnement trop élémentaire. A Lesbos et à Gomorrhe, toutes ces dames sont égoïstes. Les plus douées gardent comme une tare indéniable la bêtise de leur égoïsme et de leur jalousie.

La sottise de l'égoïsme de Colette est dans sa naïveté. Son interlocuteur prévoit toujours ce qu'elle va dire et la moindre de ses réactions. L'insuffisance des mécaniques les plus admirablement compliquées est que leur fonctionnement ne varie pas. Colette m'a toujours évoqué un appareil à sous.

Ce soir-là, l'entretien de Colette se borna à une série de révélations plus ou moins scandaleuses et systématiquement méchantes sur Willy. Elle s'ingéniait à être mauvaise et drôle. Elle ne parvint qu'à nous convaincre de la stérilité de la sottise et de la rage.

Thérèse, bonne fille, et à qui j'ai le plus souvent connu l'intelligence de la sentimentalité, qui n'est que peu de chose, s'évertuait à varier la conversation. Je me penchais vers Thérèse, la respirant comme une rose ; mais Boulestin, dans son goût de toutes les curiosités et de toutes les perversités, prenait un plaisir méphistophélique à suivre Colette dans son délire de révélations et de dénigrements. Pendant dix minutes, le spectacle avait été cocasse ; au bout d'une demi-heure, il finissait par être fastidieux. L'ire sourde, la rage froide de Colette, ne contenaient ni une réflexion rosse, ni un trait spirituel. Un enchaînement de ragots de concierge, assaisonné d'accent bourguignon.

Boulestin me glissa en *aparté :*

— Ces commérages de *couarails* me font un peu regretter le picrate de Willy. Quelle serait sa réaction ?

— Nulle, lui répondis-je. Willy est résolu à ne répondre à rien, absolument à rien. Une certaine presse l'a asticoté dans l'espoir d'une réplique. Il a répondu : « Moi, vous m'amusez; mais Paris, vous l'embêtez ».

Pour comprendre un écrivain, il est avant tout nécessaire de définir sa philosophie et la philosophie d'un Français, c'est son esprit.

Celui de Willy demeure, avant tout, une façon de regarder la vie, de la comprendre, de l'évoquer dans ses écrits, d'en subir les réactions.

Le premier caractère est un scepticisme absolu. Willy ne croyait en rien, pas même en la vérité. « Malléable par définition », et dont la raison d'être est de ne désappointer personne. L'impartialité, toujours d'après Willy, consiste à accommoder les événements de la manière la plus agréable pour les amis de l'homme impartial. Il y a autant d'hommes impartiaux que de partis. Et tout homme impartial a sa manière d'être ce qu'il est et de s'affirmer comme tel. « Voilà, disait Willy, ce qui explique à la fois l'impartialité bien connue de la presse et le nombre considérable des journaux ».

J'ai le souvenir précis que Willy m'a dit parfois : « La vérité est une conception personnelle des événements. Ce n'est pas quelque chose de concret ».

L'autre caractère de l'esprit de Willy découle de sa conception de la morale. « La morale existe. Elle est faite d'une série de conventions nécessaires à la paix de la société et à sa défense. L'adhésion à ce genre de contrat n'a rien d'obligatoire ».

Il y avait, dans Willy, sous des dehors aimables et drôles, un anarchiste qui ne s'est peut-être pas toujours ignoré. Il évitait de prononcer le mot... Willy se tint, toujours, pour indépendant de toute obligation contractuelle. Il n'a jamais payé une dette que contraint et forcé. En outre, rien ne l'amusait que de manifester cette indépendance. En 1909, il me confia qu'il s'estimait plus loyal « en n'adhérant pas », que « s'il adhérait à la façon des petits copains avec l'idée préconçue de ne tenir aucun compte de l'adhésion ».

A part les vieux amis de ses débuts, ceux du *Mercure de France* et quelques autres, Willy vivait dans un monde étrange d'élégants souteneurs, de pédérastes, d'affranchis. Il m'est arrivé d'être gêné, en sa compagnie, notamment un soir, au Rigollet's Bar, qui faisait l'angle de l'avenue des Champs-Elysées et de la rue du Colisée.

Willy, qui allait très peu dans ce genre d'endroits, y attendait la fin du spectacle du Théâtre Impérial, où l'on jouait sa pièce : *La Petite Jasmin,* et la mienne : *L'Avenir d'un Jeune Homme.*

Avant d'aller chercher Andrée Mielly à la sortie, il s'était assis en pleine faune spéciale au Rigollet's. Il ne s'étonna nullement de mon impression fâcheuse. Il me dit simplement

— La sagesse est de ne s'étonner de rien. Beaucoup de gens du monde font les mêmes trafics et ils se dissimulent. Ceux-ci sont francs. En outre, ils ont la couleur, le pittoresque, l'accent. Je vous avoue qu'ils m'amusent.

II y avait là Paul Ardot, comédien et chanteur de talent, inverti notoire ; Pierre Pradier, metteur en scène sans emploi et trafiquant de drogues ; deux ou trois marlous plus ou moins huppés.

Pradier vivait souvent des générosités de la prestigieuse Jacqueline Sandy, qui fut, avec Mauloy et Mme Villeroy-Got, l'interprète de ma pièce : *Les Vacances de l'Amour.*

Ces trois petits actes, au Théâtre Michel, m'en apprirent long sur le milieu odieux qui, tenant Jacqueline Sandy par ses vices, l'exploitait honteusement.

De tout cela, Willy ne s'alarmait point. Il prenait le monde entier pour un repaire d'agréables fripouilles, plus cocasses, pour ceux qui savent les observer, que les honnêtes gens, c'est-à-dire ceux que l'on croit tels.

La réputation outrée d'auteur immoral dont il jouissait alors n'alarmait pas Willy. Elle lui plaisait. Ce qu'elle comprenait de défi et de fronde suffisait à sa gloriole. En réalité, tout cela était superficiel. Willy travaillait beaucoup et sortait, le plus souvent, pour faire ses courses professionnelles. Il avait quitté la rue Chambiges et s'était installé dans l'ombre de la Grande Roue et de la Tour Eiffel, avenue de Suffren, au-dessus d'une boucherie. Son cynisme se barricadait derrière des piles de manuscrits. Il s'inspirait de ce que Carco, Dyssord ou moi lui apportions. Il refaisait tout.

J'ai déjà écrit le profit que j'en ai tiré.

En 1919, j'apportai à Willy un manuscrit. Il le lut et me dit : « C'est bien. Mais l'aventure est douloureuse. Nous allons la réécrire dans le sens comique et remédier à votre erreur ».

Je ne voulus pas.

Ce roman, c'était *la Femme Crucifiée.*

Après refus de publier par Fasquelle et Grasset, M. Dufour, dans sa collection *Roman Nouveau,* en vendit une trentaine de mille exemplaires en six mois de temps.

Ceci rendit Willy furieux. Il s'aboucha, par Victor Snell, avec *le Canard Enchaîné* et s'y livra à une perfide campagne contre moi. J'eus l'esprit de ne pas me fâcher.

Willy publia lui-même un ouvrage et me l'envoya. J'y répondis par une épigramme dans le même *Canard Enchaîné :*

Lisez le Willy qui vient de paraître !
La postérité dira de ce maître
Qu'il comptait des amis en nombre illimité,
Mais qu'il valait bien mieux en être
Que d'en avoir été.

J'eus les rieurs avec moi, et nous fîmes la paix. Willy, l'un des hommes les plus complètement intelligents que j'aie connu n'admettait jamais qu'il s'était trompé. Il se fâchait avec ceux qui le lui démontraient, s'il y avait lieu.

Mais Willy eut une autre tristesse. C'est par le succès mitigé de ses chroniques dans *l'Ere Nouvelle* qu'il s'aperçut que son esprit se démodait.

Ses plaisanteries, ses rosseries, ses mots, ses calembours, prenaient un petit air vieillot et désuet. Le goût du public s'était transformé par la guerre et les contrecoups psychologiques qui en résultaient. Le journalisme n'était plus le même métier qu'au bon vieux temps. Paris ne riait plus de ce dont il s'était si follement amusé.

Willy disait, par boutades :

— Dire que la République a fait quatre ans de guerre pour me réduire au silence !

Et je lui répondais :

— Marianne est devenue moralisatrice.

Le temps passa. Willy continuait à publier, souvent dans des journaux de troisième ordre, comme *le Sourire* ou *le Canard Enchaîné,* ou chez des éditeurs de second rang, comme les *Editions Montaigne, Quignon, Querelle.* Willy n'en était pas aux Invalides, et c'était bien ce que d'abord il désirait.

M. Querelle lui proposa d'écrire ses *Mémoires.* Willy accepta. L'idée de faire revivre la belle époque où vingt francs faisaient un louis lui remit du coeur au ventre. Il dut, hélas! bientôt renoncer. Il eut lui-même le sentiment que, comme il disait, « ça ne collait plus » (1).

(1) J'ai dit plus haut le joli mot par lequel il signifia son refus.

Il avait écrit deux ou trois chapitres qu'à prix d'or se fussent disputés Albin Michel, Flammarion, Ollendorff, vers 1910. Dans le climat actuel, le texte était informe, anachronique. Il attira cependant Fernand Aubier, propriétaire des *Editions Montaigne.* Ces quelques souvenirs furent à peine remarqués. Ils rassemblaient sans beaucoup d'ordonnance de vieilles histoires connues et des mots souvent répétés.

L'esprit de Willy était encore éveillé, tranchant dans sa sécheresse ironique. L'effort d'écrire privait l'auteur de ses qualités uniques.

Tristesse du déclin d'un grand écrivain. On attend toujours de lui mieux qu'il n'a fait aux heures triomphales. Il se rend compte lui-même de ce qu'il radote, et ses moyens ne lui permettent souvent pas d'entrer dans le silence et le repos.

Willy, toujours prêt à sacrifier l'amitié au plaisir d'un mot !

J'ai eu le tort de me fâcher avec lui pour des épigrammes. L'amitié s'est logiquement replâtrée. C'est un défaut d'homme spirituel que de brouiller l'affection pour la volupté d'une rosserie. Avec Willy, cela ne tirait pas à conséquence, et je m'y suis vite habitué.

Dans ce monde trop spécial d'amis du plaisir, le coeur devient un peu sec. Willy ignorait cette sécheresse-là. Sa férocité était celle d'un bon enfant. Il ne s'agissait que de s'y faire.

Dans *Le Sang des Pharisiens,* j'ai insisté sur cette sorte de dédoublement de la personnalité de Willy et sur l'année qui se termina par son décès. Il ne convient pas d'y revenir. Mais ce serait une erreur de penser que Willy fut inaccessible à l'affection, à l'amitié. Il comptait des amis, aussi des ennemis. Voilà tout. Son erreur fut souvent de les traiter de manière identique. Il criblait ses vieux amis, l'astronome Camille Flammarion, le mathématicien Maurice d'Ocagne, combien d'autres ! de traits satiriques, puis, le carquois vide, commençait leur éloge lyrique et le menait bien en une colonne de chronique dans le même article.

Côté ennemis ? Il n'y en avait vraiment pas. Mais Willy avait ses haines, et d'aucunes étaient féroces. Laurent Tailhade aurait pu lire son nom sur leur liste ; de même Jules-Ernest Charles ; de même...

Ceux-ci, Willy les attaquait sans répit. Son genre de polémique était décisif. Peu importait les qualités morales ou intellectuelles d'un adversaire, Willy le couvrait de ridicule, et ceci suffisait en général à laisser l'intéressé sur le carreau.

Dans le royaume de l'esprit, entre Colette et Willy, il y a un monde, et ce monde est le monde de l'esprit lui-même...

Les spectacles des théâtres à *côté* ne duraient jamais longtemps. De telles entreprises, d'ailleurs florissantes, devaient à leur clientèle de viveurs, de sportifs, de gens de plaisir, de la variété. La loi était celle d'un renouvellement fréquent. Le programme où *Tant va la cruche à l'eau* se trouvait compris dura jusqu'au 16 juin.

Je m'accoutumais doucement à Thérèse et je redoutais la séparation des vacances.

La chance nous servit, M. Joyant, le protecteur de la comédienne, partit en voyage pour deux mois : Algérie et Tunisie.

Je crois que cet excellent homme se doutait un peu du sentiment qui me rattachait à son amie. Il y fit deux fois au moins allusion devant moi. J'eus le tact de jouer le rôle de celui qui n'a pas compris, évitant de la sorte le mensonge, toujours odieux.

M. Joyant ne voulait pas être dupe. En outre, il détestait Colette et estimait que, puisqu'il fallait une affection à Thérèse, la mienne valait mieux que l'autre.

C'est donc dans un sentiment d'absolue sécurité que Thérèse accepta de me suivre sur les plages de la mer du Nord, exactement au Zoute, près de Knocke.

Le Zoute, à présent aménagé en villégiature de grand style, n'était alors qu'un hameau hanté de pêcheurs et de peintres où j'avais, moyennant cent francs, loué une maisonnette aux volets verts et aux tuiles rouges, aux murs blancs, perdue dans les dunes. Cette location durait jusqu'au 1er septembre.

Nos fenêtres nous offraient le spectacle monotone et doux du cap de Katzand. Saoulés d'air marin, d'espace, de ciel gris, Thérèse et moi nous nous mêlâmes dans cette quasi solitude, où nous ne reçûmes que deux visites, à quelques jours de distance : celle de Guillaume Apollinaire et celle du poète Théo Varlet, installé à Knocke.

Apollinaire, venu pour déjeuner et passer l'après-midi, resta cinq jours à boire du schiedam (l'eau-de-vie du pays) et à fumer des pipes. Il se déclarait heureux chez nous et n'en sortit, pour voir le pays, — encore un ! disait-il, — qu'avec un effort visible. Sa théorie était que seulement avant l'invention de la photographie se justifiait un déplacement pour admirer le monde, et qu'à présent les photographes offrent aux hommes paisibles de la mer, des dunes, du ciel, de l'horizon, des images bien plus définitives que le regard de leurs yeux. D'autre part, l'alcool et le tabac du cru, les variétés de la table et du confort justifient le voyage. Les détails du paysage, il faut les abandonner aux peintres des écoles périmées.

Guillaume Apollinaire a toujours nourri pour l'esprit et le caractère de Willy une fervente adoration. Il l'avait rencontré au *Mercure de France,* et j'avais réuni ces écrivains une fois ou deux. En revanche, il témoignait à l'endroit de Colette du préjugé défavorable. Il l'avait rencontrée au *Mercure,* et elle lui avait déplu. Il lui trouvait — ce dont il fit part à Léautaud et à moi, dans le cabinet de Vallette — l'allure « de la *bonniche* qui se croit tout permis depuis qu'elle couche avec son patron ».

La façon dont Apollinaire parlait de Colette devant Thérèse me ravissait, non par méchanceté, mais parce que mon amie se trouvait depuis peu harcelée par des correspondances de *La Vagabonde,* dont elle ne me faisait part que rarement, mais dont je devinais bien ou mal ce qu'elles étaient.

Je supposais, à tort ou à raison, que Colette, sachant évidemment tout de mon bonheur passager, ne cherchait qu'à lui faire un sort en agissant sur Thérèse selon ses méthodes habituelles. J'évitais d'en parler, mais j'étais envahi d'appréhensions douloureuses. Je ne doutais pas de l'affection de Thérèse ; mais ces échos, mêmes lointains, des appels de son vice m'angoissaient.

Je savais, en outre, quelle emprise peut exercer une amazone résolue sur la petite amie d'intelligence moyenne et de charme rayonnant et reposant qu'elle combla. Une *amphibie* a l'esprit inquiet. Dans les bras d'une femme, elle songe au garçon qu'elle aime. Dans le lit de ce garçon, elle ressent la nostalgie de sa séductrice.

Je ne crois pas qu'Apollinaire ait deviné ce petit drame-là. Il fit de son mieux, sans le savoir, pour l'apaiser.

Varlet nous surprit en arrivant pieds nus. Esprit curieux, inquiet de tout, il nous expliqua ce pays où nous nous plaisions si bien, sans rien en savoir. Il nous évoqua la splendeur morte de Damme, cette ville fossilisée, qui fut une Venise avant la retraite des eaux qui ruina son port, et le désert du Zwyn, jadis, lui aussi, un port prestigieux. Et le tout finit par un sonnet, dont quelques vers à la Hérédia me reviennent :

Car le vieil océan rancunier et colère
Victorieusement a retiré ses eaux.
Le gazon glauque, entre deux rives de roseaux,
Etend à l'infini sa plaine séculaire.
Mais le printemps rêveur, qui sait les souvenirs,
Dans le grand Zwyn fleuri se plaît à réunir
Les disques chatoyants de fleurs versicolores.
Et, lointain souvenir des anciens cargadors,
L'ivre souffle d'avril éparpille en sa flore
Des piastres d'argent et des quadruples d'or.

Il était dédié à Thérèse. Dans le volume *Notations,* le poème parut à moi dédié. Thérèse s'en froissa. Je m'enquis du revirement. Varlet, qui ne prenait rien au sérieux, fors lui-même, estimait que Thérèse n'avait pas prêté une attention suffisante à ses conférences ! Les lettres de Colette suscitaient en elle une vraie crise morale, et j'en ai parlé plus haut, dans le chapitre introductif, où j'analyse le caractère de l'auteur de *Chéri*. Sans ces éclaircissements préalables, le lecteur ne croirait pas à la suite.

Colette, je l'ai su plus tard, demandait à Thérèse de l'inviter. Comme le venin que distillaient ses premières épistoles n'avait pas réussi à nous empoisonner, son désir était d'opérer sur place, et sous le couvert de l'amitié. Thérèse me suppliait de céder. Elle me disait :

« Colette est malheureuse. *Elle est sans le sou,* à Paris, en plein été. Notre devoir est de la soulager. Invite-la. Moi, je lui paie le voyage ».

Me refusant à une telle sottise, je me résolus à une diversion. Nous en étions à quinze jours avant le retour. Je dis à Thérèse que, désireux de créer entre nous un souvenir de plus, nous allions voyager en Zélande.

C'est toujours à la solution imprévue pour elle qu'une femme applaudit. Nous embarquâmes au petit port de Breskens. Middelbourg, Dombourg, Veere et son canal nous éblouirent dans l'éclat de leurs couleurs aux transparences d'aquarelles fraîches. Nous parcourûmes des paysages de cartes postales illustrées.

A Paris, ivres l'un de l'autre, nous eûmes la sagesse de nous séparer... avec, au coeur, le levain d'un peu de regret.

Trois mois, peut-être quatre, après mon retour, je publiai *L'Eveil du Coeur,* ou, plutôt, *Le Coeur et la Vie,* qui devait être imprimé plus tard sous le premier titre. C'était mon premier roman. Je n'étais, avant lui, que l'auteur de poèmes, de nouvelles, de chroniques insérées dans la presse et de comédies à présent démodées.

Colette, dans un moment de bienveillance, lut mon manuscrit et le remit à son vieil ami M. Boyer, directeur littéraire des Editions Ollendorff, qui me convoqua pour me faire part des raisons qui l'empêchaient de me publier.

Une autre maison, dans la fameuse *Collection des Douze,* se chargea de ce soin, grâce à Rosny Aîné, qui était le chef de file des *Douze.*

Le premier bel article qui me fut consacré parut dans *le Petit Journal.* Un feuilleton du bon M. Boyer.

J'allai le remercier, selon les usages de ces temps polis. M. Boyer me combla d'éloges et me dit : « Si vous m'aviez proposé ce livre-là, nous l'eussions immédiatement fait paraître ».

J'eus toutes les peines du monde à lui faire comprendre que

c'était là le seul roman dont j'étais l'auteur, et celui que lui avait apporté, à l'état de manuscrit, Mme Colette Willy.

Conclure ? M. Boyer, quoique âgé, n'était nullement gâteux. Colette était toute-puissante chez Ollendorff, les éditeurs de trois des *Claudine,* la quatrième ayant vu le jour au *Mercure de France.* Je n'ai jamais osé dire que Colette avait tenu à M. Boyer ce langage :

— Je suis moralement obligée de vous recommander cet ouvrage. Trouvez un prétexte pour ne pas le publier et dorez la pilule.

Colette lut le roman et me complimenta :

— Un seul reproche. L'épisode de Bobette, petite soeur de la lune. Bobette, c'est trop clairement Thérèse, et la moitié du livre n'est que le récit de votre villégiature de cet été. C'est trop transparent. Tu dois comprendre que le public, qui adore les indiscrétions voilées, les réprouve dans une complète crudité *(sic).*

Je songe, en pensant, à l'oeuvre de Colette, qui ne peut l'imposer comme habilleuse d'indiscrétions.

Un soir, après le théâtre, mon ami Abel Tarride me pria de venir souper avec lui... et d'autres, parmi lesquels je comptais des amis. Compris dans ces derniers, un intime de Colette, M. Ortega, secrétaire de la légation d'Argentine. Cet Argentin avait beaucoup d'argent. Il s'était terriblement embéguiné de Thérèse, présente, elle aussi, et cet embéguiflage très affiché était visiblement le résultat du travail de Colette. Elle avait prié Abel Tarride de m'en rendre spectateur. Je l'ai cru. Cet Ortega était jaloux et soupçonneux comme ces pumas, félins féroces, qui infestent les forêts de son pays. Il était même jaloux du passé de sa maîtresse, et, après que Colette lui eut fait lire *Le Coeur et la Vie,* Thérèse avait subi de la part de son amant une scène terrible. Colette m'en fit à la dérobée le récit et me dit :

— Je t'avais averti que ton roman est bien trop transparent. Ortega m'a dit qu'il te tuerait si tu ne retirais pas spontanément l'ouvrage de la circulation.

Je haussai les épaules. N'était-ce tout ce que la menace valait ? Et je répondis à Colette :

— Tu penses toujours à moi en amie excellente. Justement, mon éditeur se plaint d'un arrêt de la vente.

Cet assassinat de l'auteur arrangerait tout. Sois sûre, hélas! que l'Ortega n'y songe pas sérieusement. Le revolver du diplomate mis en action vaut pour moi deux colonnes de Gaston Deschamps ou de Marcel Ballot ?

Le souper se termina sans aucun incident ; mais, comme on pillait le vestiaire, Thérèse me demanda de passer chez elle le lendemain, vers trois heures de l'après-midi. Je n'y manquai pas.

Thérèse me reçut gentiment, et, après quelques amabilités savamment dosées, me reprocha mon livre, qui l'avait émue, où elle retrouvait son portrait flatté *(sic),* mais qui lui faisait le plus grand tort. Elle me pria, en souvenir des belles heures vécues ensemble, d'en arrêter la diffusion.

Je connaissais cette femme-là mieux encore qu'elle se connaissait elle-même. Son défaut, sur l'heure, n'était que de parler trop bien. Je l'interrompis en lui demandant dans quelle pièce elle avait joué le rôle dont elle me déclamait une tirade.

Elle me regarda, interloquée, et je précisai :

— Il s'agit d'une pièce inédite, sans doute, mais où je retrouve la main de notre amie Colette.

Thérèse comprit, se rebiffa. Elle précisa qu'elle agissait par affection pour moi. Qu'Ortega, furieux, parlait de chantage et voulait me corriger...

Je me levai et pris congé le plus aimablement que je pouvais. Pas un geste pour me retenir.

Comme je m'y attendais, Ortega ne vida pas dans mon thorax le chargeur de son pistolet automatique ; mais Thérèse, furieuse, et qui avait des amis dans la petite presse, leur fit publier quelques échos assez scandaleux pour que je m'en gaussasse, et qui aidèrent à la vente du roman. Jamais Thérèse ne me pardonna ce petit succès-là...

Colette, sans susciter des jalousies argentines, se laissait aimer par Thérèse, qui l'aimait bien. Elle réussit avec esprit à conserver notre amitié à tous deux, faisant preuve d'un tact qui souvent lui manqua dans la vie.

Elle me dit un soir ceci, qui me frappa, et que j'ai noté :

— Les hommes qui écrivent sur l'amour ont plus de pudeur que les femmes. Je te demande pourquoi, à toi, qui n'as aucune pudeur ?

Ma réponse :

— Estimes-tu, ma chère amie, que nous agissions dans l'amour plus chastement que les femmes ?

Alors, Colette :

— Certes, non. Vous exprimez librement des idées au sujet du coeur féminin. Mais toi, du moins, tu devrais prendre des précautions et n'admettre pas l'avilissement intégral de ce viscère.

— Je ne sais, dis-je à mon tour, si nous conservons beaucoup d'illusions, mais du moins nous tâchons d'en conserver.

Colette conclut :

— Mettons que vous tentez d'apprendre aux femmes à se respecter moralement sans se respecter physiquement.

Ceci, de la part de Colette, était au moins imprévu.

Je publiai dans *le Journal* une nouvelle plus chaste que son titre : *Le Mystère du Dieu Priape.* C'est, je pense encore, l'une des bonnes choses que j'aie faites. Elle reparaîtra telle quelle dans un recueil de mes Nouvelles, car le hasard m'en a fait retrouver le texte.

Quelques jours plus tard, je suis, un matin, réveillé par Armory. Il me dit :

— Willy te propose de tirer un acte de cette nouvelle. Le premier rôle féminin est destiné à Polaire.

— D'accord, dis-je, je vais m'y mettre.

Alors, Armory :

— Je vais dire à Willy que tu lui apporteras le texte dans quelques jours.

— Pourquoi veux-tu que je passe par Willy ? Je suis assez grand pour me débrouiller tout seul avec Polaire.

Il n'y avait à cette initiative qu'un écueil : je ne connaissais pour ainsi dire pas Polaire. Je m'avisai dès lors qu'elle était une excellente amie du tragédien de Max, avec lequel j'étais en bonnes relations, et je me rendis chez lui, rue Caumartin, où je le trouvai. Il me dit :

— Vous tombez bien. Polaire déjeune ici demain. Vous serez le troisième à table, et nullement *terzo incommo*.

J'exposai à Polaire ce que Willy m'avait fait dire. Je m'aperçus, en lui parlant, que le nom de Willy suscitait en elle une réaction bizarre. Je les croyais demeurés grands amis. C'est à Willy que Polaire devait son nom d'artiste, son succès. Elle était alors au faîte de sa carrière, c'est-à-dire au début du déclin, mais comblée d'argent, d'hommages et terriblement fantaisiste dans son art comme dans l'amitié et dans l'amour. Elle me répondit :

— Il est vrai que je cherche quelque chose. J'ai lu votre nouvelle comme tout le monde, et votre proposition me tente. En sortant d'ici, nous irons tous deux voir Viterbo.

Ce Viterbo, personnage douteux que l'on surnommait *Villerbarbo*, avait, en deux ans de temps, dirigé successivement, sans succès, *les Mathurins, la Comédie Royale*, oit il avait joué mes deux actes : *Tant va la cruche à l'eau*, et j'appris par Polaire qu'il dirigeait *le Tréteau Royal*, dans les locaux d'un *tea room* de la même rue Caumartin. L'après-midi, on y servait du thé et des gâteaux à une clientèle hétéroclite. Le soir, on y jouait la comédie, en spectacles coupés, sur un tréteau. L'expérience avait déjà donné des résultats funestes. Mais Viterbo comptait la renouveler avec succès en faisant appel à des vedettes, dont Polaire (1).

Dans ces petits théâtres « à côté » à la mode, les actrices connues imposaient des pièces de leur choix. A tout hasard, j'avais glissé dans la poche de mon pardessus un numéro du *Journal* contenant ma nouvelle. Il me suffisait de la faire lire, séance tenante, par Viterbo...

Polaire et moi, sortant de chez de Max, arrivons au Ceylan et nous demandons si Viterbo est visible. Nous attendons trois

(1) Willy surnommait ce *Tréteau Royal l'Ecole des mauvaises moeurs*.

minutes, et un nègre monstrueux, une sorte de boxeur à gueule de Sam-Mac-Vee, vient à nous d'un air défiant. Mais dès que Polaire se nomme, il s'empresse, et Viterbo, prévenu, vient à nous en courant.

Nous nous asseyons dans le *tea room,* et Viterbo commande des consommations en s'excusant de n'avoir pas même un cabinet.

C'est Polaire qui expose l'objet de notre démarche. J'offre à Viterbo le *Journal,* qui l'intéresse. Il lit la nouvelle et déclare :

— C'est exactement ce que je cherche. Mais mettez-en davantage.

— Et de quoi, cher monsieur ?

— Mais des traits, des mots rosses... enfin, des allusions... Vous me comprenez. Ici, le public en veut, et plutôt raides.

— Ne t'inquiète pas, répond Polaire. Tu seras servi. Je le connais. Tu peux avoir confiance.

— Il y a encore quelque chose, dit Viterbo. Il me faut des noms... des noms qui en imposent. M. Sylvain Bonmariage... d'accord ; mais enfin...

— Et moi, coupa Polaire, me prends-tu pour une débutante ?,... Est-ce que je ne suffis pas ? Que veux-tu, Bartet ou Sarah ?

Viterbo changea de ton. Il protesta de sa confiance, de son admiration pour Polaire, puis parla de ses ennuis. Les frais d'installation se multipliaient. Des fournisseurs voulaient se faire régler. Il lui fallait onze mille francs pour le surlendemain. Il ne savait à qui les demander.

— Je te fais porter un chèque demain matin, dit Polaire... mais contre le bulletin de réception.

Viterbo se déclara d'accord. Je promis le texte sous huitaine et on prit date pour la lecture et la distribution.

Il était six heures du soir quand nous sortîmes. Polaire déclara qu'elle avait soif. Nous prîmes un fiacre, et elle nous fit conduire dans un bar américain de l'avenue Montaigne, celui qui, trois ou quatre ans plus tard, devait être repris par le clown Footitt et où elle se conduisit comme un entonnoir à cocktails.

Vers sept heures et quart, elle m'avoua qu'elle avait faim. Je lui proposai une grillade au *Fouquet's*. Elle me déclara que celles du Grill Room de l'Elysée-Palace étaient incomparables. Et c'est là que nous dînâmes en parlant beaucoup.

Il est rare qu'une femme libre dîne en tête-à-tête avec un garçon sans s'exalter. Polaire n'y manqua point. Elle se plaignit de la vie, de l'incompréhension des hommes. Elle me parla du réconfort que lui apporteraient de grandes amours, du décor rêvé pour elles que serait sa petite maison d'Agay... En fin de compte, elle demanda du Pommery goût américain, et, rassasiée de manger, elle continua à boire en bavardant éperdument, et sans arrêt, de tout et de rien.

Polaire était loin d'être belle ni jolie. Elle avait, très exactement, le visage d'une moukère algéroise, ce qu'elle était. Le corps avait dû être d'une perfection rare. Mais, la trentaine dépassée, on le sait, les moukères, si agréables à seize ans, achèvent de *se décoller*. Presque aucune grâce. Autant de vulgarité dans le geste que dans la parole. Mais Polaire avait de l'entrain, et, tout en ne cessant de parler d'elle-même, d'être la metteuse en scène de son personnage, elle m'amusait. Elle avait des yeux extraordinaires, d'où s'échappaient, comme en fusées, de longs regards chauds (1). Sous un petit chapeau presque masculin, que je n'ai connu qu'à elle, et, en somme, assez proche de ce que nous appelons un melon, s'amassaient ses cheveux mi-courts, très frisés, noirs et lustrés, au point qu'ils semblaient trempés dans de l'huile. Les mains que Polaire, bavarde, agitait sans cesse, étaient fines et soignées. Aux deux poignets tintait une *semaine* de bracelets d'or. Une seule bague, mais étincelante, d'un solitaire remarquable. De longs pendants d'oreilles, or et turquoises, aux ciselures mauresques, sentaient un peu trop la brocante des souks tunisiens...

Il restait néanmoins à Polaire une séduction réelle. Elle savait marcher, avec un soupçon de balancement. Sa démarche n'avait rien d'une danse. C'était une démarche, combien harmonieuse, et sauvegardant, dans sa souplesse, toute la grâce de l'attitude...

(1) Willy a écrit justement que les yeux transparents de Polaire, plus verts que bleus évoquaient des huitres portugaises.

Il était un peu plus de minuit quand Polaire cessa de boire et de parler. Elle s'étira et bâilla sans se soucier des gens qui dînaient autour de nous, se déclara fatiguée, et me dit au moment où je m'y attendais le moins : « Viens chez moi. J'ai une fine extraordinaire ! »

Je m'étonnai peu de cette confidence. Polaire était entretenue par M. Jules Porgès, empereur de la fine champagne. Ce qui m'étonna, c'est qu'elle me tutoyait.

M. Viterbo amorçait la publicité de la pièce par des échos. Il n'en fallut davantage pour que Polaire reçût un pneumatique de Willy, rosse, dépité, et un autre de Colette. Elle me le montra. Colette lui expliquait, sans trop de précautions aratoires, qu'il fallait se méfier de moi. Précisions : Thérèse Robert m'avait signifié mon congé, après que je lui eusse « barboté » une centaine de mille francs. Sur quoi j'avais voulu la faire chanter en publiant un livre à scandale et des échos.

Polaire haussa les épaules

— Tu comprends, avec Colette, il fallait s'y attendre. Je suis habituée.

Deux jours après, nous sommes convoqués chez M. Viterbo. Il nous présente les interprètes, sauf une, celle du second rôle féminin. Il me demande :

— Avez-vous une objection pour Thérèse Robert?

Je réponds :

— Avec plaisir. Elle a déjà joué fort bien deux de mes pièces.

Sur quoi M. Viterbo ouvre une porte, et, blonde éperdument, tout en sa fraîcheur, surgit Thérèse, qui ne fait qu'un saut jusque dans mes bras. Lorsqu'elle a baisé Polaire sur les deux joues, je lui dis :

— Quelle joie de te revoir ! Colette a permis...

Alors, Thérèse :

— Nous sommes fâchées. Elle a fait lire ton roman à Joyant. Après quoi Joyant a déclaré que c'était un petit chef-d'oeuvre.

Je m'inclinai en déclarant que M. Joyant avait de l'esprit. Thérèse ajouta :

— Et du goût.

Puis, se tournant vers Polaire, elle soupira, sur un ton hébété :

— Deux hommes ont su m'aimer : Maurice Joyant et Sylvain.

— Et Ortega, dis-je qu'en fais-tu ?

Thérèse rougit et murmura :

—Il m'adorait, et, pour me le prouver, il me battait. C'est liquidé.

Je repris :

—Thérèse, veux-tu être assez gentille pour expliquer à Polaire comment je t'ai « barboté » cent mille francs ?

Toi ? Première nouvelle... C'est encore, je pense, une histoire de Colette.

Polaire hocha la tête affirmativement et dit que je n'avais nul besoin de me justifier.

C'est alors que Thérèse devina qu'il se passait quelque chose entre Polaire et moi. Elle nous regarda l'un, puis l'autre, et sourit, un peu dépitée. Quant à Polaire, elle était enchantée. Rien ne la contrariait. C'était la meilleure fille du monde.

Nous nous revîmes presque tous les jours pendant que j'écrivais la pièce. Et nous passâmes quelques nuits dans son lit. Polaire était incomparable dans les exercices de l'amour. Elle savait se donner, réveiller le désir, être tour à tour langoureuse et charmante. Il se dégageait d'elle une sorte d'électricité. Par malheur, si l'on vibrait à son moindre contact, elle n'avait aucun soin de sa personne. Son goût de l'alcool se doublait d'une sainte horreur de l'eau. Tirée du lit, elle se frottait les yeux avec un coin de serviette-éponge humide. Après quoi elle se maquillait, ce qui était l'essentiel de sa toilette. Quand je me mettais au bain — et il m'avait fallu ranger ailleurs des cartons à chapeaux qui remplissaient la baignoire — elle se moquait de moi, m'affirmant qu'un peu de saleté n'avait jamais tué quelqu'un... Ceci se compliquait d'une sorte de cynisme. Nue, les seins déjà flasques, elle parcourait sa chambre en quête d'objets divers, une serviette entre les cuisses (1). En parlant, elle s'administrait des claques

(1) Je n'exagère rien. La serviette éponge ainsi placée était la vêture préférée de la comédienne dans l'intimité.

sur les fesses. Tout ceci devant moi, et devant sa femme de chambre qu'elle injuriait en jargon algérois.

Un matin, se levant avant moi, tandis qu'elle cherchait ses mules, je remarquai, sans le dire, qu'elle avait des pieds crasseux. Elle s'aperçut de mon observation, et gouailleuse, me glissa : « Heureusement que c'est toi ! »

Le jour dit, on lut la pièce et on la distribua : Polaire, Jean Raucourt, Gildès, et... Thérèse Robert... Les répétitions allèrent leur train. Viterbo avait confié au vieux Gildès les soins de la mise en scène. Il s'en tira fort bien. Thérèse Robert et Polaire étaient vêtues de peplums d'un lin transparent jusqu'à l'indiscrétion. Raucourt, barbouillé en Dieu Priape, terrifiait les dames et les charmait. Gildès, vieux mari trompé se déclarait lui-même ravi d'être un cocu classique.

Tout le boulevard se pressait dans la petite salle, autour du tréteau. Au moins quatre cents personnes, chacune connue dans le monde théâtral et littéraire. Georges Feydeau donna le signal des applaudissements. Et lorsque Gildès, au dernier rappel, vint dire le nom de l'auteur, c'est entre Thérèse et Polaire que je parus sur les planches... Viterbo m'embrassa en me disant : « Nous voilà partis pour la centième ». La presse fut mieux qu'indulgente. Ernest Lajeunesse lui-même fut élogieux, parla d'Aristophane...

Résultat : pendant trois jours, on fit des recettes passables, le quatrième et le cinquième, elles baissèrent, et, le soir du huitième jour, un peu avant la représentation, les artistes furent avertis de ce qu'on ne pouvait jouer. M. Viterbo avait mis la clé sous le paillasson, empoché ce qu'il y avait en caisse et filé pour une destination inconnue sans payer personne, ni ses fournisseurs, ni sa location, ni ses artistes auxquels les couturiers devaient présenter bientôt la facture de leurs costumes...

Polaire fut la seule à en rire. Elle me promit de faire reprendre la pièce sur un autre théâtre... Hélas ! Nous étions déjà fatigués l'un de l'autre, et notre aventure en resta là.

J'ai souvent retrouvé Polaire dans la vie parisienne, tour à tour riche ou pauvre et, en fin de compte, contrainte à se faire héberger par de vieux amis. Elle ne perdit jamais le sourire...

Huit jours avant sa triste mort, à l'hôpital Beaujon, je prenais avec René Kerdyk l'apéritif, rue Royale, à la terrasse du café Weber. Une petite vieille, fâcheusement vêtue, vint à nous, attendant qu'on l'invitât à s'asseoir. Il me souvient de la voix éteinte avec laquelle elle demanda un verre de porto.

Kerdyk fit une allusion au *Mystère du Dieu Priape,* Polaire dirigea sur moi un regard où chantait tout le passé et me dit : « Ta pièce. Il m'en souvient comme si c'était hier... Nous avons bien ri ! ».

Et elle riait presque encore d'avoir ri.

La débâcle de M. Viterbo entraînait celle de ma pièce. Ceci n'entraîna aucune réaction de Colette, mais amusa prodigieusement Willy. Il en était aussi heureux qu'il eût été dépité par le succès. .Je le vis peu après. Il me glissa mi-miel, mi-vinaigre : « Ce mystère du Dieu Priape ! Encore une idée à ce vieux Maugis. Vous avez voulu voler de vos propres ailes et vous avez agi comme un enfant de choeur en confiant le destin de cette bleuette née pour la veine à cette fripouille de Viterbo ».

Le destin de Willy n'était guère plus enviable. Une légion de créanciers l'accablait. Il prenait cette infortune d'assez haut, plaignant les Parisiens de leur ingratitude à son égard à lui qui les avait tant fait rire.

Et Willy se livrait à des réflexions profondes :

— Voyez-vous, les choses inanimées nous survivent. Cette survie est humiliante. C'est pourquoi je crois en l'âme immortelle. La vraie humiliation est de survivre à soi-même. C'est la mienne. Voilà pour la foi et l'espérance. Quant à la charité, j'ai mis mon insensibilité à l'abri de règles sévères.

En Willy survivait le moraliste qu'il n'aurait jamais dû cesser d'être. « Le dédain des autres hommes comporte celui de la morale qui leur est réservée ». Et, en même temps, il écrivait ironiquement à son ami Louis Barthou : « Comme tous les faibles tu as une seconde nature, l'habitude de la vertu ».

Willy me confiait « J'ai, comme critique musical, des complaisances pour Massenet. Debussy me les reproche. Il ignore que l'amitié ne peut se fonder sur un accord complet devant les moindres détails, mais que c'est généralement en ne s'entendant sur rien, en disputant de toutes choses, que deux hommes, devenus complémentaires, en arrivent à s'estimer et à s'aimer ».

Il y avait chez Willy, un psychologue très fin et une connaissance profonde du coeur humain. L'homme était double. D'abord l'homme de tact, produit d'un milieu patricien, à l'intelligence vaste, ouverte aux questions historiques, scientifiques, musicales, connaissant tout de la musique si ce n'est la musique elle-même, l'érudit chez qui l'érudition n'est pas seulement le résultat du savoir, mais l'état d'esprit créé par le savoir. Cet homme-là en cachait un autre féru de plaisir, adorant la réclame, qui perpétuait dans le public l'illustration de ses moindres faits et gestes et de ses traits d'esprit. Ces deux personnages finirent par se combiner en un seul terriblement pittoresque.

Nul n'a été plus populaire à Paris que Willy, et nul ne s'est senti plus solitaire dans l'ivresse de cette popularité. C'est que Willy fut toute sa vie un grand indépendant et une sorte d'anarchiste cocardier, patriote, adorant son pays, mais détestant l'autorité sous toutes ses formes.

Je me souviens qu'il me disait : « Vous êtes comme moi, vous êtes trop comme moi, et vous passerez par où j'ai passé. Je garde au coeur le mépris de trop de gens et de trop de choses pour ne pas en souffrir tout en m'amusant, ce qui n'est qu'une consolation illusoire. Je sens pourtant bien que ma solitude est une force qu'aucune autre ne peut balancer. C'est bien pour cela que je m'y cantonne entre trois mille amis intimes qui m'envient, me débinent, et dont je ne sais même pas les noms ».

P.-J. Toulet m'affirmait : « Willy est indéfinissable. Colette ne supporte pas une définition. Ces deux êtres ont pu être attirés l'un vers l'autre. Leur amour n'est qu'une fantaisie du destin qui a tenu à leur prouver, en les rapprochant, tout ce qui les séparait. Colette a des sens. Willy a un sens. Voilà tout le drame. Et le sens que revêt Willy, Colette ne peut le comprendre. Elle lui en veut d'être accablée de toute sa supériorité sur elle. Et surtout de son impassibilité devant ses rebuffades et ses attaques. Elle me fait penser à ces bigotes espagnoles fanatisées qui, après avoir dévotement prié un saint, giflent sa statue s'il ne les exauce pas... ».

Définir Willy ? Notre société française passe pour la plus exquise, la plus cultivée. Elle est probablement la plus sotte et la plus ennuyeuse et ne doit sa réputation qu'à une élite agréable, marquée du signe de la fantaisie, cette conscience éternelle du poète.

Entrez dans un salon bien pensant. L'homme du monde y apparaît atone, amorphe, désireux de ne pas être remarqué surtout par l'originalité de ses idées. Ce serait, pour lui, la mise en suspicion et l'isolement assurés. Et tel est le sort de ceux dont le sourire a un sens. Voilà le cas du cher Willy. Et, le sait-il ?

Pour nous épargner de mourir d'ennui, le Créateur a permis que se constituât, en marge de cette tradition morose, un milieu peuplé de gens d'esprit, d'amis du plaisir qui savent la vie courte et ne se confinent ni dans la morale dogmatique, ni dans les préjugés, ni dans les opinions toutes faites. C'est de là qu'est venue, à l'étranger, la réputation de la société française, et, comme il existe de temps à autre, dans ce monde à côté, un homme de génie, on en parle avec passion et on rêve de fréquenter cette société.

Atmosphère libertine, un peu philosophique, avec des femmes jolies, aimables, faciles dès qu'on les amuse, des hommes rayonnants, éclatants, des fêtes agréables, des honneurs choisis, des talents uniques, et une petite histoire fleurie d'anecdotes scabreuses, parfumées de relents de scandales, étant entendu qu'un scandale, dans d'autres sphères, ne serait qu'un fait divers. Et c'est là qu'on réagit contre l'ennui du monde où l'on s'amuse et le ridicule du monde où l'on s'ennuie.

J'ai déjeuné chez Louis Barthou avec Willy. Les deux hommes se trouvaient sur un pied d'intimité qui m'étonna. Barthou, l'homme le plus simple du monde, n'attachait de prix qu'aux oeuvres dédicacées à lui par des écrivains et qu'à des documents littéraires.

BARTHOU. — Comment, Willy, tu n'es pas décoré ?

WILLY. — Ma foi non... Et toi ?

BARTHOU. — Moi, c'est autre chose. Les parlementaires ne peuvent être décorés qu'à titre militaire. Toi tu es un écrivain célèbre. Je vais remédier à cette lacune pour janvier prochain. Promis. Tu es content ?

WILLY. — Certes. Je veux bien être décoré si ça te fait tant plaisir et si ça te rend le sourire.

BARTHOU. — Alors, tu acceptes ?

WILLY. — Que ne ferait-on pour toi ?... Mais je ne veux rien d'un autre ministre. Et, si j'accepte, c'est que ton ministère, je le sais, sera renversé dans quelques jours.

Rostand admirait Willy... poète ! Ne l'avait-il mystifié (1) ? L'affaire du discours de réception, en vers, à l'Académie, est célèbre. Rostand m'a dit tenir pour un chef-d'oeuvre ce paysage de Deauville, de Willy, et qu'il savait par coeur.

> *Ils viennent à la queue-leu-leu*
> *Boldini, Sem, Helleu.*
> *Tous trois contemplent l'infini.*
> *Helleu, Sem, Boldini.*
> *Et l'un s'en va, puis l'autre idem,*
> *Boldini, Helleu, Sem.*

Willy m'avait présenté, au restaurant Sylvain, à une jeune actrice qui m'avait plu. Deux jours après, elle et moi nous déjeunions chez Paillard. A peine attablés, le chasseur me remet un pli de l'écriture de Willy.

(1) Elu membre de l'Académie, Rostand, disait-on, s'était vu refuser par la Commission son discours de réception parce qu'il l'avait écrit en vers. Il en refit un en prose. Willy écrivit, à la manière de Rostand, un discours de réception en vers. Ce chef-d'oeuvre du pastiche mystifia toute la presse qui l'accueillit après publication, signée Rostand, dans la *Grande* revue, comme authentique. Rostand, lié avec Willy depuis 1890, avait eu l'esprit d'en rire et de démentir en déclarant que l'Homme des *Claudine* était le véritable auteur de *Cyrano*.

Pendant toute sa vie Willy écrivit des poèmes. Tantôt des épigrammes, des bouts rimés, tantôt des élégies, de petites odes, des sonnets fort bien venus et d'une facture exemplaire. Madeleine, qui en avait recueilli un grand nombre songeait à les publier. Willy s'y opposa, et malgré mon intervention, persista. Il me dit : « On publie déjà trop de vers médiocres ». J'en ai conservé quelques-uns qui sont très loin d'être médiocres. En matière de poésie Willy était difficile. Il fit la réputation de Georges Pourest et de Fagus.

Les Sylvains de chez Paillard
N'eurent jamais recours en vain
Pour leur désir le plus paillard
Aux Nymphes de chez Sylvain. (1).

L'entretien de Willy était spirituel, souriant, nuancé de demi-teintes, puis soudain, le dur coup de griffe au moment imprévu. La maison qu'il préférait était celle de sa chère Rachilde. Le mardi, au *Mercure de France,* il rencontrait ses vieux amis : Alfred Vallette, Henri de Régnier, Vielli Griffin, Jules de Marthold, Rémy de Gourmont. Ces gens-là furent fidèles jusqu'au bout.

J'ai le souvenir d'une entrée à sensation, au *Mercure.* D'abord Postel du Mas, peint, maquillé, suivi de Valentine de Saint-Point, colorée comme un Rubens, chargée, sur l'épaule, d'un ouistiti qui s'y livrait à d'érotiques acrobaties. D'un bout à l'autre du salon. Willy crie : « Rachilde, vous me présenterez le second, pas le premier ! ».

Une autre fois, chez Aurel, Willy échangeait des aménités polies avec Henri Bauer, un doux géant. Willy, de taille légèrement au-dessus de la moyenne, pour suivre ce que disait Bauer, levait les yeux vers le plafond. Passe Alfred Mortier qui s'arrête, amusé. Willy l'interpelle : « Mortier, vous qui êtes propriétaire d'immeubles, vous pouvez le confirmer... plus on monte, moins les étages sont meublés, n'est-ce pas ? ».

On quittait rarement la compagnie de Willy sans emporter le souvenir de deux ou trois traits définitifs. Et pas mal de gens, par la suite, se les appropriaient, les ayant accommodés à leur sauce. Il était de ceux qui jettent de l'esprit dans tous les coins. Nombreux qui faisaient profession de le ramasser.

L'esprit et la curiosité de la vie et des êtres, autant que le don de les observer créaient, chez Willy, un merveilleux don de sociabilité. Cet amateur du petit monde hétéroclite de Cabotinville et qui conversait tout gentiment avec une concierge, un bookmaker ou un maquereau de Montmartre, s'adaptait à

(1) C'est par erreur que le journal *Comoedia* attribua ces vers à Tristan Bernard.

toutes les sociétés. Willy a brillé chez la comtesse Greffulhe, la marquise de Saint-Paul et la princesse Edmond de Polignac. Tout le monde l'observait, le guettait, supputant une rosserie, une polissonnerie. Il était, chez ces gens-là, comme chez lui. L'encanaillé n'avait rien perdu de cette bourgeoisie française, où s'entretiennent et se transmettent les traditions de politesse, ou plutôt de la politesse spontanée qui est un don naturel et non le résultat d'une initiation. Willy me disait : « Je ne tiens pas du tout à la société des maîtres. Je ne demande point à mes amis d'avoir du génie. Il me suffit qu'ils aient du tact et du coeur. C'est infiniment plus rare ».

Colette, elle, est d'un naturel peu sociable. Sa sociabilité consiste surtout à imposer sa présence, ou à admettre celle des gens à qui elle peut, utilement pour elle, dire du mal des autres, ou auxquels elle a quelquechose à demander. Pour Colette l'amitié, comme l'amour, sont faits de services espérés. Le calcul, en ces matières, est un réflexe normal. La chatte sait griffer. Elle sait surtout où, quand, comment, ayant charmé, elle doit donner son coup de griffe.

Le hasard a, à pas mal d'années de distance, placé les deux ex-époux dans une situation identique. Voyons ce qu'ils ont fait.

Aurélien Scholl rapporta cette boutade : pour enterrer dignement l'aîné des frères Lyonnet, il demandait cinq francs à chaque confrère qu'il voyait. Willy allongea dix francs en déclarant : « Enterrez-les tous les deux ». Le mot a depuis été donné à Dumas fils (Willy, que Colette dénonce comme plagiaire, est l'auteur le plus pillé. Exemple Willy écrit à Catulle Mendès, à propos de Cosima Wagner : « Le bonheur, pour chacun de nous, c'est le bonheur des autres. Ce bonheur-là n'existe que parce que nous y croyons ». Mendès, peu après, écrit : « Ce qu'il y a d'étrange dans le bonheur des autres, c'est qu'on y croit ».

Mme Tariol-Beaugé, la célèbre chanteuse d'opérette qui fut un moment l'amie de Colette, avait, vers 1912, organisé une collecte pour éviter la fosse commune à un vieux comédien qui venait de mourir à l'hôpital, et avait été son partenaire dans les *Dragons de Villars*. Je déjeunais ce jour-là avec elle, rue de Suresnes, n° 28, chez le vieux Charles Lecocq, l'auteur de *La Fille de Madame Angot*.

Lecocq était hémiplégique, se déplaçait en béquillant. Il aimait la société des gens de théâtre où il ne pouvait plus se rendre, et les recevait à table ouverte.

J'étais en tête-à-tête avec Lecocq, vieil ami de mon père, lorsque entra Mme Tariol-Beaugé. Peu après, Mme Odette Dulac.

Mme Tariol-Beaugé nous expose son entreprise charitable. Lecocq s'inscrit pour cent francs, le vieux cabot décédé ayant été son interprète. Mme Odette Dulac donne un louis. J'y vais de mon *jaunet,* et demande à Mme Tariol-Beaugé si elle est satisfaite de sa souscription. Elle sourit et déclare : « Tout le monde marche, même sur la pointe des pieds. Je n'ai qu'un refus. Le voici » . Et elle tire de son sac un pneu... Un pneu de Colette qui se libellait ainsi : « Souscrire pour une tombe ! Ma pauvre amie, que me resterait-il pour payer la mienne ? »

Or, à ce moment-là, nous le verrons plus loin, Colette était pourvue royalement...

Je songe à cette confidence d'un ami désenchanté, richement renté, mais d'une belle âme et qui me parlait de Colette après avoir été son amant : « Ce n'est pas toujours le besoin qui lui a donné le goût de l'argent ».

— La bohème, me disait Willy, c'est l'existence idéale, à la condition d'avoir toujours cent mille francs devant soi.

Willy me parlait en homme qui avait plusieurs millions tombés sous lui et, sur sa table, des liasses de papier d'huissier. Je lui demandai en riant si c'étaient là des lettres de Colette. Celle-ci rédigeait sa correspondance depuis toujours sur un papier d'indéfinissable azur.

Willy comprit l'allusion et me dit « Vous avez remarqué que Colette et les huissiers utilisent le même vélin ? Coïncidence ? Je crois plutôt logique. Je vous parlais de bohème. Ne savez-vous donc point que c'est dans cette vie-là que l'on trouve les types les plus sordidement intéressés. *La Vagabonde* affiche le détachement. Elle adore vivre, dit-elle, au jour le jour. Elle proclame que le vrai charme de la vie consiste à ne savoir exactement, à n'importe quel moment, ce qu'on fera une heure plus tard. On n'achète, soupire-t-elle, jamais trop cher une sensation. Colette ne se paie jamais une sensation. Son habitude est de se les faire payer toutes.

La vie de cette grande bohème est un perpétuel calcul. Mais à ce calcul se joint un art issu de l'instinct le plus félin; celui de transformer en sensation agréable, en véritable volupté, le geste du payeur... J'ai été l'illusionniste de ces plaisirs-là, et, dès que j'y songe, je m'en trouve marri... Marri pour moi... après avoir été le sien ! ».

Fagus, André Thérive, d'autres lettrés, se sont occupés de cette manie du calembour dont Willy labourait ses amis. Il paraît qu'il s'agirait d'une forme d'esprit chère aux gens du XVIe siècle. Et, depuis, un docte agrégé de l'Université dont je ne sais plus le nom, a publié dans le *Mercure de France* un essai sur le calembour chez Homère.

Il suffisait sans doute de remonter à Cyrano de Bergerac, à Rabelais, à quelques autres génies un peu démodés. Il est hors de doute que le calembour ait connu une vogue égale à celle des concetti, même supérieure, puisqu'à la cour de Louis XVI la manie en subsistait encore. Les calembours de Louis XVI sont plus fameux qu'intelligents. Eugène Chavette et Monselet en ont abusé et Willy ne s'en est pas moins délecté que pas mal de ses lecteurs.

Pour ma part, je trouve le calembour une insupportable manie. N'empêche que des centaines de lecteurs, ravis par les calembours de Willy, lui en envoyaient à chaque courrier. Certains jours, Willy recevait plus de quarante lettres. C'est le temps où, m'avisant qu'il ne viendrait pas à un rendez-vous, il me *pneutait : « Cher ami, m'accable un rhume que l'orthographe de ma nièce me permet de croire originaire de la Jamaïque... »*

Maurice d'Ocagne, savant aimable, mais austère, harcelé par les calembours de Willy, affirmait qu'il existe une mathématique du calembour. Et, en même temps, je rédigeais ainsi l'épitaphe de Willy, qui le charma :

Quand j'aurai fait mon à peu près du cygne
Qu'on me couche, au son du tambour,
Sur un lit de feuilles de vignes
Dans une bière en bois de calembour.

Il n'y avait pas seulement une manie mettons mathématique du calembour. Il y en avait une des poèmes à forme fixe. Willy semait sur son passage des rondeaux, des vilanelles, des sonnets, des pantoums, à double sens. Un jour, à Antée, revue dont je m'occupais, je reçois un *Chant royal : l'Orage,* signé Henri Gismeau. Je le publie. Un lecteur m'écrit que ledit poème a paru dans telle autre revue sous la signature de Willy. J'insère. Willy m'écrit : « Gismeau est l'anagramme de Henri Maugis, l'un de mes pseudonymes. Le poème est mon oeuvre et j'ai pensé que vous l'inséreriez avec plaisir, non pour la qualité de son lyrisme, mais parce que, pour être un Chant royal, l'*Orage* n'en est pas moins un acrostiche.

L'acrostiche donnait : *Le Censeur n'est qu'un sale canard.* On sait les attaques venimeuses de Jules-Ernest Charles, contre Willy, pour venger la moralité publique. Ces attaques étaient d'ailleurs inspirées par Colette.

Lorsqu'Ernest Charles s'avisa de ce que son épouse éprouvait des démangeaisons d'écrire et de publier, il s'empressa d'enfermer d'un double tour de clé tout ce que la maison contenait de papiers de crayons, d'encre, de porte-plumes. Mais Ernest Charles omit de se souvenir *qu'il avait un secrétaire,* nommé André Billy, et que celui-ci possédait un énorme stylo. Mme Ernest Charles se carapata tenant solidement le secrétaire par le stylo... Soulagé, Ernest Charles abandonna son *Censeur* et se consola en songeant que, désormais, le secrétaire infidèle serait la victime de la harpie. Elle écrivit un livre *: Ces choses qui seront vieilles,* sur lequel cette épigramme circula :

De le lire, je te conseille !
Un maître livre, en vérité
Que « Ces choses qui seront vieilles »
Par une dame qui l'était...

Lucien Descaves, soupçonné, affirma que l'épigramme était de Willy. Peut-être n'avait-il pas tort. L'auteur du roman se tourna tour à tour vers Rachilde et vers Colette pour faire proclamer son génie. Ce fut en vain. Quant à Billy, son stylo, cette fois, faiblit. Il n'aime pas à se compromettre. Chacun sait ça.

1912 et 1913 furent d'ailleurs pour moi des années de travail. Je vécus claustré et veillé par Mme de Givré, exigeante pour le rendement de mon activité. Il en résulta une pièce en trois actes, *Les Vacances de l'amour,* qu'à mon retour des armées, en 1917, MM. Michel Mortier et Robert Trébor, directeurs, firent jouer au *Théâtre Michel.* Il en résulta encore deux romans : *A l'ombre des grandes Ailes* et *Les Caprices du Maure.* Succès d'estime.

Un roman, dont la vente était normale, rapportait alors, au maximum, six mille francs à son auteur. Ce ne fut pas tout à fait le cas de ces deux ouvrages. *Les Editions du Roman nouveau* les réimprimèrent en 1920 et ce fut alors qu'ils firent leur carrière. Willy vivait, la plupart du temps, à Bruxelles où triomphaient deux de ses opérettes. Il y faisait d'ailleurs autre chose, et mieux, au point que, vers la fin de 1912, il m'écrivit de venir l'y rejoindre.

Séduit par le bon gros parler de M. Beulemans, Willy sentit ce qu'on pouvait en tirer de comique dans le sens profond, ce que Léopold Courouble et Franz Fonson n'avaient pu faire que dans le sens superficiel et cette suite d'ouvrages extraordinaires qui devint la série des *Siska.* Il en était au premier volume : *l'Implacable Siska* et il me dit : « Voici mon plan, voici mes caractères. J'ai prié Curnonsky de me donner un coup de main et il s'en tire fort bien, comme d'habitude, sauf qu'il a imaginé la mort d'Henri Maugis. Il faut maintenir ce chapitre qui clôt l'ouvrage. Vous vous apercevrez que Cur excelle dans l'assassinat. Nous verrons, par la suite, à venger Maugis, mon *alter ego,* mon frère, mon double, mon moi-même. Dispensez-vous des émotions inutiles. Vous avez vécu longtemps à Bruxelles et vous m'avez souvent bien fait rire en parlant le marollien. Il s'agit de reprendre tout l'ouvrage en l'amplifiant et d'y ajouter ce que vous pouvez d'assaisonnement bruxellois ». J'acceptai, m'en tirai de mon mieux, et, à ma grande surprise, deux mois plus tard, Willy me paya royalement et ponctuellement. Si l'on songe que Willy désintéressait Curnonsky et faisait lui-même une excellente affaire, et que tout ceci provenait du père Albin Michel qui n'attachait point ses auteurs avec des chapelets de chipolata, on se rend parfaitement compte des tirages vertigineux qui présidaient aux productions de Willy...

Je lui fis cette réflexion. Il me répondit, mélancolique : « Evidemment. Mais j'ai des créanciers, et mon ex (Colette) m'en envoie tous les jours... des dettes qu'elle fit à l'époque de notre communauté et dont elle m'a fait juger responsable. Alors, ces gens-là, je refuse de les payer. Mes droits d'auteur au théâtre sont perçus par des collaborateurs fidèles qui me les refilent en sous-main, et je vends à mes éditeurs, moyennant une somme fixe, mes livres en toute propriété. Ça me permet de palper vingt-cinq mille francs, parfois trente, là où, sur deux cent mille francs de droits, je ne toucherais rien devant les oppositions. Ainsi, je suis libre. Et croyez-moi, tout est là... Cher ami, vous avez assez de talent pour qu'on tente bientôt de vous enchaîner.

Refusez la prison dorée, ne vous laissez jamais faire ni pour l'Académie, ni pour une décoration, ni pour un contrat exclusif. Dites-vous, devant ces tentations, qu'on est plus riche avec une plume libre en restant pauvre. Nul n'a compris la leçon profonde de Balzac. Pensez-vous qu'il eût donné sa place pour celle de Zola ou de Paul Bourget ? Mon point de vue est celui de Guy de Maupassant. Moins vous irez au public et aux éditeurs, plus ils viendront à vous. Voyez et méditez Colette. Elle cherche la réclame par le scandale et le chantage et elle en est déjà au chapitre du promenoir pour ne pas dire du trottoir ».

J'ai médité toute ma vie cette belle leçon de Willy et je m'en suis largement inspiré. Elle ne m'a point facilité ma carrière, mais elle a ajouté à son prestige. Je suis, à l'heure qui sonne, le plus libre des écrivains. Le seul ? J'en ai peur...

Cette attitude un peu distante m'obligeait à ne rien demander à personne. Dès qu'on vous reconnaît quelque talent, c'est le meilleur moyen de se faire des ennemis. En effet, si un homme médiocre vous oblige, ou si vous lui laissez l'illusion de vous avoir obligé, vous devenez, dans votre notoriété, sa créature, son fait d'armes et votre gratitude obligatoire se mue en une servitude sans fin. C'est l'une des stratégies élémentaires de Colette.

J'ai pris, de bonne heure, l'habitude de me débrouiller seul. Ceci me condamnait à être combattu non sans âpreté ni perversité. Des quelque cent volumes que j'ai publiés en librairie régulière, des rares pièces que j'ai fait jouer, de mes quelques collaborations, volontairement perlées dans la presse ou les grandes revues, il n'est rien qui ne soit une victoire sur la méchanceté, l'hypocrisie des autres, sur leurs diffamation, leurs calomnies, leurs mensonges.

Je ne vois qu'une chose que l'on ne m'ait contesté : le succès. Il m'a suffi. Et, avec le plaisir que j'ai conçu de mon travail, c'est tout ce qui m'attache à ce marécage puant d'ambitions, de prétentions, de stupidité, de vanités, de haine et d'envie que mon ami Grasset a baptisé la chose littéraire.

Les lettres, en elles-mêmes, n'existent pas. Elles supposent une société organisée, des relations suivies, des traditions, une hiérarchie, l'autorité critique, un tas d'éléments qui sont opposés au talent réel qui n'est qu'une forme de l'individualisme et dont l'idéal nécessaire est l'anarchie. La solitude est souveraine. Elle accentue la conscience de la force qui est l'élément primordial.

Un exemple : J'ai écrit un livre : *Les Buveuses de Phosphore.* Grasset, Fasquelle, René Rocher, Gallimard m'en ont refusé la publication. *Le Mercure Universel* hésita. Son lecteur laissa traîner le manuscrit sur son bureau. Il avait donné rendez-vous, un jour, à un écrivain célèbre comme historien des lettres françaises, M. Jules de Roquigny, professeur à l'Université de Lille. M. de Roquigny s'assit, et en attendant le lecteur, s'empara du manuscrit et se mit à le lire. L'attente, heureusement pour moi, se prolongea. Quand le lecteur revint, plus d'une heure après, il s'excusa de son retard.

— Votre retard, dit M. de Roquigny, je n'ai qu'à m'en féliciter. Il m'a permis de faire la connaissance

d'un vrai chef-d'oeuvre. Je vous prie de me confier ce

manuscrit jusqu'à demain soir afin que je puisse le lire à mon aise.

Quand M. de Roquigny rapporta le manuscrit, il confirma son opinion :

— C'est peut-être du poison, mais c'est un poison rare et merveilleux. Vous attendrez des années avant de tomber à nouveau sur un livre de telle qualité.

Je dois ce récit, non au lecteur tout fier, par la suite, d'avoir déniché l'ouvrage, mais à M. de Roquigny dont j'ai, un jour, fait la connaissance. C'est ainsi que fut publié le volume.

La critique fut médiocre. Un bel article, avec pas mal de réserves moralisantes, de John Charpentier. Un important article du même genre de Thérive ? dans *l'Opinion*. Une courageuse intervention de Paul Dermée

à la Radio, alors libre, vingt lignes timorées dans *l'Intransigeant...*

Eh bien, ce livre, inaperçu ou à peu près, de la critique, fut tout simplement le plus grand succès de vente en librairie de l'année 1927 et les bénéfices de l'éditeur stabilisèrent sa situation commerciale chancelante...

C'est à peu près l'histoire de *La Messe des Oiseaux,* de *Le Bien et le Mal, Le Mystère et l'Illusion, Le Nombre d'or,* de tant d'autres de mes romans, avec cette nuance que les succès répétés ont convaincu mes éditeurs et qu'ils me publient sans hésitation, malgré les démarches, les lettres anonymes, et autres assaisonnements des moeurs littéraires.

Je représente quelque chose dans le monde des lettres parce que j'ai dépassé les horizons immédiats de mon époque et du public prétendu lettré.

C'est de ce public-là que Willy se méfiait surtout et dont il se moquait avec le plus de causticité.

La liberté est la forme dyonisiaque du lyrisme. Il faut en connaître le prix, et sa grandeur est en proportion des risques que comporte son affirmation. Mais une fois qu'il s'est affirmé libre, un homme digne de l'être peut se permettre tous les mépris et tous les dédains, car il est hors de l'atteinte des plus puissants.

Willy méprisait et dédaignait, mais avec une courtoisie et une aménité qui désarmaient : « Nés comme nous le sommes, mon cher ami, nous pouvons nous permettre un attentat aux moeurs, mais certes pas une faute d'éducation ».

L'anarchiste poli, mondain, qui ferait exploser une bombe en s'excusant de déranger la Société, est une invention de Willy.

Willy m'a toujours soutenu dans ma méfiance, et *pire,* du critique influent. Parmi ceux qu'il ne pouvait souffrir plus que moi, je note Albert Thibaudet.

Cet homme professait à peu près des opinions *de concierge.* Il eût été parfaitement à sa place à la *Revue des Deux Mondes* et nul ne l'y eût remarqué. Si on faisait attention à ses écrits, c'est qu'on avait la surprise de les trouver là où ils n'étaient pas à leur place : dans la *Nouvelle Revue Française.* De ce dépaysement provenait son originalité.

Cette originalité consistait uniquement dans la surprise du lecteur à trouver de telles idées dans le cadre où elles s'exprimaient. Je pense qu'Albert Thibaudet s'en rendait compte. Et cette opinion me vient du souvenir que j'ai de l'avoir entendu pérorer à Paris dans des milieux où ce qu'il disait était aussi inattendu que ses articles là où il les publiait. L'auditoire réagissait un peu. Notre hôtesse, une femme d'esprit, glissa un jour : Il y a des gens dont on se soucie fort peu qu'ils aient tort ou raison. On les suit pour le plaisir de les entendre parler ».

— Le malheur, Madame, répondis-je, est que rares sont vos invités qui éprouvent quelque plaisir à entendre parler M. Albert Thibaudet.

Nul, je pense, n'a mieux su que cet homme tirer parti de la vulgarité. Il savait combien elle plaît aux gens, et la facilité avec laquelle elle s'impose dans les esprits et dans la mémoire. Cette vulgarité n'entachait pas seulement son parler, son style, ses idées, sa façon de penser, elle rayonnait de sa personne, de sa tenue, de ses gestes, de sa manière de boire et de manger. Elle créait l'exception flagrante partout où Albert Thibaudet sévissait par la parole ou par l'écrit et faisait ainsi figure de courage, d'originalité, de bon sens, de sagesse. Entre deux thèses on ne le vit jamais hésiter. Il allait droit à la plus admise, à la plus banale, à la plus sotte.

Willy me disait : « Vous n'êtes pas sans avoir entendu parler de *cet* Henri Poincaré qui, dans sa fameuse théorie des dimensions, expose le concept de la bête infiniment plate ?... Eh bien, mon petit, cette bête-là, c'est Thibaudet ! ».

4

C'est un rude métier que celui d'humoriste, on amuse le monde qui ne vous en sait aucun gré. Et il finit par vous en vouloir.

Adolphe Brisson et Yvonne Sarcey ont demandé à Willy de collaborer aux *Annales*. Et Willy y a consenti volontiers. Il fut même question d'une conférence à *l'Université des Annales* sur la musique française de César Franck à Debussy. Willy accepta, puis se récusa. Il avait raison, n'étant pas orateur. Il fut remplacé par Reynaldo Hahn, par lui désigné, et qui parla de Benjamin Godard avec beaucoup de charme.

Willy ne fit, je crois, qu'une seule conférence dans sa vie. Ce fut chez la princesse Edmond de Polignac. On lui avait demandé ses souvenirs de critique musical. Il lut au lieu d'improviser, ce qui était une erreur, et il parla sérieusement à un monde qui espérait rire et qui fut désillusionné.

Aujourd'hui, M. Pierre Brisson, à la requête de M. Noël, son directeur littéraire, a interdit que le nom de Willy figurât dans ses colonnes. M. Noël agissait à la prière d'André Billy, exécuteur des basses oeuvres rancunières de Colette.

Fin janvier 1951, la Société des Auteurs, au jour du vingtième anniversaire du décès de Willy, mandata certains de ses membres pour aller fleurir sa tombe. La Société des Gens de Lettres, invitée à se joindre à cet hommage, refusa, ou plutôt ne répondit point.., à la prière de Colette. Et ce jour du vingtième anniversaire de sa mort, le nom immortel de Willy, figura pour la première fois sur la tombe d'Henry Gauthier-Villars. La famille Gauthier-Villars avait, lors de l'inhumation, refusé de voir graver sur la dalle du caveau de famille ce nom : *Willy.*

Pour remédier à un tel refus, Pierre Varenne, Secrétaire général de la Société des Auteurs Dramatiques, et Henri Mercadier, formèrent un comité pour apposer, 159, avenue de Suffren, une plaque sur la façade de l'immeuble où mourut Willy. L'affaire en était restée là. Pierre Varenne parle de la reprendre. Il s'agit de commémorer un grand écrivain qui a amusé plusieurs générations de Parisiens.

Et pourquoi l'affaire en est-elle restée là ? Parce que Colette avait chargé Anatole de Monzie d'ordonner au préfet de la Seine de s'opposer..,

Mieux encore. Fin 1950 une publication parisienne, *Elle,* dirigée par Mme Pierre Lazareff, publiait une sorte de monographie générale des amours célèbres dans laquelle elle avait inclus celles de Colette. Et la rubrique se terminait par cette malpropreté : « Willy est mort en Suisse, complètement oublié et méprisé ».

Bien que n'étant pas Français d'origine, le ménage Lazareff est spécialement informé de tout ce qui est parisien. Il savait parfaitement bien que Willy est mort chez Madeleine de Swarte, 159, avenue de Suffren, où il a reçu tous les soins désirables pendant la pénible maladie qui devait l'emporter; que la famille Gauthier-Villars lui a ménagé un enterrement en grande pompe à Saint-François-Xavier ; qu'à la famille, pour conduire le deuil, s'était joint le ministre Louis Barthou ; que l'Académie Française était représentée par René Doumic; l'Académie Goncourt par Jean Ajalbert, par Rosny aîné, son président, et par Léon Daudet; que la Société des Auteurs y était représentée par son président Charles Méré, par Romain Coolus et d'autres commissaires; la Société des Gens de Lettres par son président, Gaston Rageot, et ses deux vices-présidents Pierre Mortier et Marcel Batilliat; que Pierre Mortier et Charles Méré ont fait d'importants discours après la messe, et que Willy a été amené au cimetière Montparnasse par trois mille Parisiens, dont Charles Maurras et quelques autres, par exemple toute la rédaction du *Mercure de France.*

La facture de *l'Argus* porte sur 4.218 coupures, extraites de la presse mondiale. Ce n'était pas là l'enterrement d'un oublié, ni d'un méprisé... Pierre de Bréville en était ébloui et disait à Henri de Curzon :

« C'est la gloire ». Le bon Pierre de Bréville ne prenait les choses qu'au sérieux.

— La gloire ? ne sais, répondait Curzon, mais c'en a l'odeur.

Tout cela, Mme Lazareff le savait bien. Pourquoi laissait-elle mentir son journal ? Tout simplement pour complaire à Colette.

Inutile de dire que je ne lis pas *Elle.* C'est Léo Larguier qui m'a montré cette petite saloperie de bas étage. Et sa réflexion fut élémentaire à propos de Colette : « Quel chameau ! ».

Les amabilités de Carco dans ses souvenirs ? C'est encore du travail de Colette, travail d'ailleurs peu payé.

Ce travail a commencé en 1912.

J'ai le souvenir d'une soirée, boulevard Péreire, chez une dame dont je ne puis me rappeler le nom, mais qui était la soeur de mon ami Me Georges Baron, avocat à la Cour. J'y retrouvai Colette. Elle était en train de raconter, dans un groupe, les misères endurées pendant son mariage. Mme Langlé de Bellême l'interrompit. « C'était si simple de ne pas vous marier, si M. Willy ne vous disait rien ».

Réponse de Colette : « J'avais seize ans et j'épousais un vieillard ! ».

Sur quoi je me fâchai. Je lui dis, sur le ton le plus calme, mais le plus précis : « Willy est né le 10 août 1859, à Dôle. Tu es née le 28 janvier 1873 à Saint-Sauveur de-l'Yonne et tu t'es mariée à vingt ans révolus en octobre 1893. Voilà les chiffres. Quant à ton martyre tu l'as supporté jusqu'à fin 1906, date de la séparation, et cette séparation tu l'as pleurée en demandant à tous ceux qui le pouvaient de te réconcilier avec ton mari ».

A ma grande surprise, Colette ne me répondit rien. Les gens souriaient de cet implicite aveu. Elle alla pérorer dans un autre cercle... Au moment de m'en aller, comme j'enfilais mon pardessus dans le couloir, Colette passa, marchant vers le vestiaire. Elle me dit à mi-voix, me frôlant le visage de son haleine en feu :

« Tu n'es qu'un vilain petit mufle et je te défends de m'adresser encore la parole ».

C'est ce jour-là, rentrant chez moi, que je me livrai à quelques calculs élémentaires : « Colette est de 73, moi de 87. Elle a donc quatorze ans de plus que moi. C'est une vieille rombière. Comment ai-je failli l'aimer ?

Quinze jours plus tard, je déjeunais rue de l'Echelle, chez le tragédien Jean Daragon, qui débarquait du paquebot le ramenant d'Amérique Latine. Mme Daragon était une grande amie de Colette, mais une femme de coeur et d'esprit, Marguerite Moréno. Avant d'être l'épouse Daragon, elle avait été, au moins devant Dieu, celle de Marcel Schwob. Chez les Daragon, outre Colette, il y avait Claude Farrère, Mme Farrère (Henriette Rogers, du Vaudeville), Henri Kistmaekers et Odette Dulac. Colette accueillit mon salut en riant, me serra allègrement la main et me nasilla : « Queul pleusirrr de teu voirrr ! ».

Je lui répondis :

— Mon plaisir est double, étant imprévu. Je nous croyais fâchés.

— Nous le sommes en effet, mais ce n'est pas eune rrraison pour nous battrrre frrroid.

Je me demandai si vraiment elle était meilleure fille que j'avais lieu de le supposer. Elle n'avait pas roulé ses rrr comme un tapin qui bat la charge. Ç'avait été un coup de fanfare. Cet accent-là, je ne le lui avais pas encore connu.

Le déjeuner fut joyeux ; Mme Daragon m'avait placé juste en face de Colette, et nous rîmes tout le temps. Daragon, qui revenait de jouer Cyrano de Bergerac dans la pampa, s'informait des nouvelles de Paris et demanda à Colette quels étaient ses projets, théâtre ou lettres ? Elle répondit :

— Je compte bien mener les deux de pair. C'est la main droite et la main gauche.

Daragon : — Mais ta main gauche sait ce que fait ta main droite.

— Louons-la, dis-je, de sa discrétion !

On se mit à rire. D'abord Colette, puis la tablée, par contagion. Il n'y avait vraiment pas de quoi.

Trois ou quatre jours plus tard, un pli de vélin azuré me toucha à mon domicile par pneumatique. Colette demandait à me voir, et comme j'ignorais alors son adresse et qu'elle avait une raison quelconque de la cacher, elle me disait : « Je déjeune tout près de chez toi, chez Schayé. Je viendrai te voir vers deux heures et demie ».

Paul Adrien Schayé, avocat à la Cour, auteur de chroniques et de nouvelles, était un ami de Willy. Il était secrétaire général du journal *Comoedia* et en même temps, bon propriétaire de trois immeubles dans mon quartier. Il perchait rue Lalo, à cinquante mètres de chez moi. Mme Schayé était une ancienne comédienne. Elle avait quitté le théâtre où elle était toujours soubrette, pour devenir maîtresse de maison. Elle avait été jolie et en conservait quelque chose. Sur les planches, elle disait invariablement : « Madame est servie », mais elle le disait bien.

Colette, après cinq ans de séparation, poursuivait une vie sentimentale compliquée qu'elle cachait autant qu'elle le pouvait, surtout à Willy, toujours silencieux, dédaigneux, mais qu'elle craignait, du reste à tort, car il s'était imposé la loi de ne rien faire contre elle.

Avant de réunir les nouvelles des *Vrilles de la Vigne* et de *L'Envers du Music-hall* aux Editions de la Vie Parisienne, Charles Saglio me demanda si je voyais toujours Willy. Je lui répondis que oui. Il me confia alors : « J'ai une certaine admiration pour le talent de Collette Willy, je ne veux à aucun prix me brouiller avec Willy. Voulez-vous lui demander pour mon compte si la publication des ouvrages de son ex-épouse, à mes éditions, le dérange, et m'apporter sa réponse ? ».

Cette réponse fut cocasse : « Bien sûr que non. Dites à Saglio que je le remercie de me prouver que son auteur a profité de mes leçons ».

Willy, à la *Vie Parisienne,* gardait son influence. Il y avait écrit peu. Ce genre éternel « petites femmes » l'exaspérait. Sans cesse les mêmes redites. Il s'était rabattu, en fait d'hebdomadaire sur le *Rire,* le *Sourire,* plus truculent, et surtout sur le *Fantasio* de Juven qui offrait un cours plus libre à sa rosserie (1). L'humour de Willy, encore que « Parisien » s'adresse à un public plus étendu que celui des viveurs et des boulevardiers.

Colette vint chez moi, souriante d'un sourire qui cachait sensiblement quelque chose que je ne devinai qu'après. Elle partait pour Londres, jouer ou danser je ne sais plus quoi, au *Coliseum,* et, à Londres, elle ne connaissait que Boulestin. Ma mère était anglaise, Colette savait que je possédais là-bas des relations et elle me demandait de prier Robert Sherard de s'occuper d'elle.

La chose était délicate. Sherard, comme Frank Harris, Max Beerhoom et d'autres séides fidèles à Oscar Wide, était un ami loyal et sincère de Willy. En outre, il était un grand ami de Polaire, elle-même en froid avec Colette, et actuellement à Londres. Je dis à Colette : « Je pense que Boulestin est bien mieux placé que moi pour te rendre un tel service. Elle me répondit par une charge à fond contre l'auteur des *Fréquentations de Maurice,* me donna les raisons les plus malveillantes de la nullité de son influence, alors que celle de Sherard dans la presse était considérable.

— Tu es mal renseignée, dis-je. Sherard n'est plus rien à la *Saturday Review,* il a quitté le *Morning Chronicle* et marié à une richissime américaine, il vit dans une retraite absolue.

La vérité était un peu plus nuancée. J'avais vu Sherard à Londres trois mois plus tôt. Il se desséchait dans sa carapace de vieil anglais conservateur et traditionnel et n'aurait jamais présenté à Mrs Sherard l'héroïne d'un scandale.

Il se fit que le soir même, M. Maurice Joyant, qui faisait avec Londres d'importants trafics de ses éditions des estampes de Toulouse-Lautrec, me pria de me rendre à Londres pour son compte. Je n'avais pas l'adresse de Colette. Ce fut Schayé qui se chargea de transmettre le message par lequel je lui offrais de

---

(1) L'éditeur Juven était celui d'une équipe qui se composait de Maurice Barrés, de Gyp (la comtesse de Martel-Janville) et de Willy. Ces trois écrivains étaient des amis intimes et le restèrent — selon Barrés — parce qu'ils ne cultivaient pas le même genre de littérature et s'affirmaient chacun nationaliste ardent.

faire route ensemble. Elle me répondit sur du papier chamois de l'Hôtel Powers, rue François-1er, que j'étais bien aimable, mais qu'elle ne voyageait pas seule. Et elle ajoutait :

— Garde ça pour toi.

Son défaut de solitude ne regardait que Colette, et elle n'avait pas à en faire un mystère. En vérité, elle craignait toujours Willy et j'ai su indirectement depuis que la pauvre fille craignait que je ne la mouchardasse. Dès qu'il s'agissait des autres, sans le moindre doute, Colette allait toujours droit à l'hypothèse la plus basse. Elle était la femme de toutes les exclusives, de tous les complots. Et c'est la raison pour laquelle elle s'est si bien accommodée du trio Dorgelès, Carco, Billy pour transformer l'Académie Goncourt en un bouillon de culture infect. On y a trahi tout le monde, et d'abord le testateur. Colette, avant de trahir l'Académie elle-même, a trahi les bienfaiteurs qui l'y avaient imposée à un moment où Ajalbert, Rosny jeune, ne voulaient pas d'elle. Le résultat est que l'Académie Goncourt s'est enlisée dans le mépris public et le ridicule. Elle n'y a point survécu, morte à présent dans l'estime des lettrés et des hommes libres.

En arrivant à Londres, le premier soin de Colette fut d'écrire à Robert Sherard pour lui demander un rendez-vous. Sherard s'excusa par une maladie diplomatique sur un ton glacial et lui envoya une recommandation pour sir Rivers Boddily, l'un des administrateurs de la Société qui exploitait le Coliseum. Sir Rivers Boddily est encore un vieil ami à moi. Collectionneur, il acheta à Paul Guillaume mon portrait par Modigliani, puis, Lady Boddily ne pouvant se faire à la vue de ce tableau, il le revendit.

Je ne pense pas que Colette vit Boulestin. C'est au printemps de 1913 que Sir Rivers Boddily m'apprit quel était le favorisé du sort qui accompagnait Colette à Londres. La visite qu'elle m'avait faite après son déjeuner chez les Schayé semblait avoir mis un terme à nos relations.

Celles-ci se ne renouèrent pratiquement qu'après la guerre, vers 1920, et l'on sait comment. Je n'étais pas le seul. Je pense que, de tous ses anciens amis, Colette ne continua à voir que les Daragon et M. Léon Bailby. Elle s'effaçait. On se demandait des nouvelles les uns aux autres, en vain.

La guerre dispersa tout le monde. Ce fut Willy qu'elle bouleversa le plus. Une crise de nationalisme aigu, mais, en marge, il chuchotait : « Mauvais pour les Wagnériens », ou encore « Sale blague pour les humoristes ». A ma grande surprise, Willy ne comprit pas le rôle immense et profond qui devait nécessairement, pendant les hostilités, jouer l'esprit satirique.

Ce détail. Lors de mon dernier voyage à Bruxelles, au printemps de 1914, je croisai une grande jeune fille blonde, fraîche comme une pivoine, coiffée d'une énorme capeline noire enrichie d'une plume d'autruche. Sa tête ronde se noyait dans les profondeurs d'un double renard blanc. Et sa robe aux grands plis était verte comme l'espérance. Elle était si séduisante que discrètement je lui emboîtai le pas, ce qui ne lui échappa d'aucune façon. Madeleine, c'était elle, séjournait à Bruxelles avec son papa Willy dont elle nous a raconté les fourberies. Je n'avais pas l'honneur de connaître cette pensionnaire libérée. On sait ce qu'elle est devenue pour moi (1).

Grandie dans l'ombre, Madeleine s'est faite au métier, ou plutôt à la manière, et elle sait que ce plaisir n'est pas gai tous les jours. Du moins l'humoriste, s'il ignore la joie complète, connaît-il la vie. L'humour est un langage fermé et un art secret. Ce secret est simplement que les humoristes ne caricaturent ni ne déforment. Ils se contentent de regarder la vie et de la rendre telle qu'ils l'ont vue et observée. « C'est, affirme Willy, dans le portrait le plus vrai que les gens refusent de se reconnaître, tant ils sont obnubilés par ce qu'ils voudraient être, tant ils sont humiliés de n'être que ce qu'ils sont ».

Il n'est pas sans intérêt pour que l'on puisse comparer en établissant définitivement son caractère, d'esquisser ici un portrait de quelques-uns des hommes d'esprit que Willy aima et estima, et qui lui demeurèrent fidèles jusqu'au bout.

(1) J'ai eu l'immense douleur de perdre ma femme en décembre 1952. Madeleine de Swarte ne fut pas seulement une enfant admirable dans son dévouement mais aussi un être inoubliablement exquis et quand elle s'en donnait la peine, un écrivain chassant de race. *Les Caprices d'Odette, Mady écolière. Les fourberies de papa. La femme sans regard. Enterrement d'une vie de Jeune fille.*

Chez les Baschet où il se rendait souvent et où j'étais invité, on voyait le dessinateur Henriot, artiste cocasse, excellent causeur, et que Willy tenait pour un grand homme « le meilleur humoriste de son temps ».

Je crois que Willy s'était surtout épris du détachement que le bon Henriot apportait dans la vie sociable. D'Henriot, le neveu m'a raconté cette histoire abracadabrante : Henriot invite, un soir, à dîner chez lui, en toute intimité, deux amis dont l'un était reçu par Mme Henriot pour la première fois. On se met à table, et, le potage absorbé, Henriot se frappe le front, s'excuse, se lève et déclare : « Je ne suis qu'une linotte. J'ai oublié les cigares ! ». Mme Henriot répond : « C'est tout simple, il n'y a qu'à les envoyer chercher ». Henriot : « Ma chère amie, vous n'y pensez pas. Un homme de coeur choisit ses cigares lui-même ».

Henriot quitte l'assistance. On l'attend une demi-heure, trois quarts d'heure en vain, et la maîtresse de maison fait continuer le service. On dîne. On prend le café. Pas d'Henriot. Mme Henriot déclare : « Mon mari n'est pas loin. Il est sorti en pantoufles ».

Sur le coup de minuit, les hôtes estiment décent de se retirer. Le lendemain soir, Mme Henriot reçoit un télégramme de Toulouse. Son mari lui demande de ne pas s'inquiéter. Au bureau de tabac il a rencontré un ami. Il a pris fantaisie à tous deux de se rendre en Algérie.

Je ne sais si le bon Robert Voinot exagérait en me racontant ce trait de son oncle, mais, ayant connu l'artiste, il ne m'a nullement étonné. M. et Mme Baschet, qui gardaient dans le coeur, pour Henriot, une affection profonde mais toujours amusée, ne tarissaient pas sur son compte en anecdotes du même genre.

Il pourrait sembler naturel que M. Emile Henriot, grandi dans la lumière attique d'un tel père, fût un joyeux garçon, un peu aventureux, d'un talent cascadeur. Il distribue des prix de vertu.

C'est chez les Baschet que Willy déclara : « Si j'éprouve une secrète adoration pour Henriot, c'est qu'il commence à mettre son esprit et son humour dans sa vie. L'humour exige la sincérité, la spontanéité. Quel meilleur gage peut nous en offrir un artiste ? ».

Il existe au moins dix recueils d'anas formant, en quelque

sorte, l'encyclopédie de l'esprit de Willy. Le premier parut en 1903. Il est précédé d'une étude d'Armory, l'auteur des *Epaves,* et d'autres pièces qui obtinrent un succès de scandale au théâtre des Arts et chez Lugné Poë, sur la scène de l'Oeuvre. Ledit recueil contient une série de dessins de de Losques, tous consacrés à Willy, à son entourage immédiat. Le dernier recueil des anas de l'auteur de Claudine est intitulé *L'Esprit de Willy.* L'auteur en est Léon Treich et l'ouvrage porte le millésime de 1929. Il a paru deux ans avant la mort de Willy et il suffit de le feuilleter pour se rendre compte de ce que l'esprit de Willy est d'une qualité qui ne vieillit pas et qui reste tout sauf du calembour.

Le calembour — toujours imprévu et déroutant — a prodigieusement amusé Willy de son vivant. On se demande pourquoi du reste. Rémy de Gourmont, grand admirateur de Willy, m'a dit un jour : « Savez-vous que le calembour est la forme véhiculaire de l'esprit du prodigieux écrivain qu'est Cyrano de Bergerac ?... Nous ne comprenons plus le calembour, Son comique, venu d'Italie au XVIe siècle, nous échappe. Il relève de notre tradition ».

Je veux bien, mais il me plaît que Willy n'ait pas truffé de calembours les aphorismes, les remarques, les réflexions cocasses qui font le *trésor* de ce qui nous reste de son esprit, et qui situent sa mémoire entre celle de Rivarol et celle de Chamfort.

*

* *

J'ai connu pas mal d'humoristes. C'étaient, d'une manière générale, les gens les plus saumâtres. Adrien Vély ne m'a pas arraché un sourire, et sauf dans les couloirs de la Chambre, où parfois il était drôle. Pierre Véber ne m'a jamais parlé que sérieusement de choses sérieuses.

J'ai fait, ailleurs, le portrait d'Alfred Capus.

Il y avait chez Grosclaude, vieilli, en 1913 et 1914, des

préoccupations d'économie politique dont il entretenait les lecteurs du *Journal des Débats.*

Courteline demeure bien l'homme dont l'esprit et la conversation m'ont le plus déçu. Je suis de ceux qui ont estimé sa réputation surfaite. Il y avait de l'inconvenance à le comparer à Molière ce dont, en 1913, les gens ne se privaient pas.

Ernest Lejeunesse, qui me voulait du bien, nous présenta l'un à l'autre à la brasserie Vetzel, en face de l'Opéra. Courteline m'apparut légèrement ventru, le visage clair, franc, rayonnant. Dès qu'il se mit à parler, cet ensemble prit un aspect de vulgarité soudaine. Courteline n'était satisfait de rien. On lui servit un demi qu'il refusa, prétextant que la bière était tiède, et il se lança dans une diatribe contre les brasseurs, tenanciers de café, les garçons... « Il n'y a plus de bonne bière ! Tout fout le camp !... ». Alors, il se tourna vers Lajeunesse. « Ah! mon pauvre Ernest, où allons-nous ? La France est foutue ! Plus de bière potable !... Cré nom de Dieu ! ».

Cette indignation, durant trois minutes, eût été drôle. Elle devenait fastidieuse au bout de cinq, insupportable au bout d'un quart d'heure. Chaque fois que l'on s'imaginait qu'elle touchait à sa fin, un nouveau juron attestait d'un nouveau départ. Je n'aurais jamais cru qu'un homme pût déclamer sans arrêt, pendant si longtemps, sur un sujet aussi pauvre.

Lorsqu'il eut fini, Courteline prit une cigarette et demanda des allumettes au garçon. Je lui tendis mon briquet tout allumé. Il m'écarta du geste en me traitant de « brûleur de benjoin ».

Enfin, nanti d'allumettes, Courteline entretint Lajeunesse de son vif désir de tirer les oreilles de Serge Basset. Ce dernier était un assez pauvre écrivain qui tenait la rubrique du Courrier des Théâtres au *Figaro* et faisait de temps à autre jouer, sans aucun succès, une pièce quelconque dans un théâtre de troisième ordre. Il fut tué, en 1916, non comme militaire, mais comme correspondant de guerre du *Figaro.*

L'avant-veille, Basset avait publié une note dans son courrier dramatique touchant à la reprise prochaine d'une pièce de Courteline. Celui-ci estimait que la note n'avait pas paru en assez bonne place et il se mit à s'indigner contre Basset comme il l'avait fait contre la bière. Ceci dura encore une dizaine de minutes...

J'avais rendez-vous. Je m'excusai de brusquer mon départ. Je quittai Courteline avec l'impression d'avoir entendu monologuer un commis voyageur grinchu.

Vers 1920, Courteline devint membre de l'Académie Goncourt. Un roman de moi, *La Saison Florentine,* venait de paraître. Je le lui envoyai, dédicacé. A ma grande surprise, il ne tarda pas à m'écrire une lettre aimable contenant, au sujet de mon oeuvre, des observations judicieuses. Je me demandai comment Courteline avait pu lire un livre si éloigné de sa pensée et pourquoi il m'écrivait.

La curiosité fit que j'en parlai au poète André Dumas, grand ami de Courteline, qui demeurait juste au-dessus de chez lui.

— Venez me voir tel jour, me dit Dumas. Nous ferons une visite à Courteline.

J'hésitai à répondre, puis je négligeai d'accepter. Le souvenir des diatribes contre la bière et contre Serge Basset était trop vivace en moi. Ce souvenir persiste chaque fois qu'il m'arrive d'ouvrir un livre de Courteline.

Je suis donc incapable de juger l'oeuvre et l'homme équitablement. Je reconnais en lui un bon observateur de la vie courante, un styliste fruste et correct. En mariant le bon sens et le réalisme vulgaire il en a tiré d'extraordinaires effets d'hilarité.

« Le bon sens n'est pas le sens commun. Il y a très peu de gens qui en sont doués », me disait Charles Henri Hirsch à qui je venais de confier mon jugement sur Courteline et l'appréhension que je nourrissais de nouer des relations avec l'auteur de *Boubouroche.*

*
* *

Le seul humoriste qui ne m'ait jamais produit l'effet d'un grand désespéré est Tristan Bernard. Il définissait l'humour : *Un sourire dans le regard de la sagesse.* Et ce mot-là résume l'allure du philosophe et de l'artiste.

Tristan Bernard me disait, en me parlant de Boni de Castellane : « Pour avoir goûté à tant de femmes, ce garçon-là n'en a probablement pas savouré une seule ».

Et comment oublier des boutades de ce genre : « C'est surtout lorsqu'elle s'avère inutile que s'exaspère la lutte pour la vie. Mais, je le crains, tant qu'il y aura des riches et des pauvres, on confondra les gens intelligents avec les imbéciles... ». Ou encore : « La charité ? Secourir les malheureux ? D'accord. Quant à les assister, c'est une autre paire de manches ». Et il ajoutait : « Sans compter que le riche a surtout le souci de la morale du pauvre ».

Tristan Bernard, parfait humoriste, fut un très grand écrivain. *Amants et voleurs* affirment un conteur inégalé. Je n'avais pas revu Tristan Bernard depuis dix ans lorsqu'il me reçut dans son bel et clair appartement de l'avenue Charles-Floquet, quelques mois avant sa mort. Le maître n'avait rien perdu de sa bonne grâce, de la vivacité de son caractère. Je lui dis : « Je vous aime, je vous envie aussi surtout d'avoir su être drôle en demeurant un artiste et non un amuseur ».

Il me répondit que l'humour est fait d'autant de tristesse que de cocasserie : « Pour être vraiment drôle, il m'a suffi de regarder ce qui se passe et d'être l'écho sincère de la réalité ».

Je lui confie alors : «J'ai lu Mark Twain. Il m'a déçu ».

Réponse : « Son grand talent manque de simplicité. L'humour n'est pas la caricature, chose hypocrite, dissimulée, hélas ! sous la volonté d'être méchant... Le secret de cet art est de raconter naturellement les choses et d'y penser sans aucun préjugé. On ne se figure pas, dès lors, qu'on va faire rire tes hommes. Etre sincère, pour moi, c'est déjà y parvenir. Je ne m'en suis rendu compte qu'à la longue. Avant, je croyais que les gens s'amusaient de ce que j'écris, qu'ils se moquaient de moi. En même temps, ils ont cru que je me moquais d'eux, ce dont je ne tardai pas à m'apercevoir. J'ai mis ceci à profit. Les circonstances m'ont imposé cette carrière de drôlerie et je leur ai obéi avec sérénité. J'ai été drôle sans le faire exprès. J'ai tenté aussi de l'être avec préméditation et il me faut avouer que j'ai été moins heureux, quoique le public riait encore de confiance. Indice inquiétant : certains riaient moins... Me voilà revenu à mon ingénuité première. J'ai compris que, comme par le passé, il fallait dire les choses ainsi qu'elles me venaient et non telles que la tradition m'invitait à les dire. Et je crois que voilà tout le secret de l'humour ».

Ce qui distingue l'esprit de Willy de celui de Tristan Bernard, c'est que Willy, grand érudit, le laisse volontiers paraître. Il est archonte dans la république du plaisir, mais il ne suppose le plaisir comme véritable et digne que s'il est celui des lettrés.

Rien du tout d'une caricature d'homme du monde à la Paul Hervieu. Willy était naturellement ce qu'il voulait être et ne voulait être que ce qu'il pouvait être. Son dandysme ne consistait pas dans la coupe d'un habit ou dans l'affichage d'opinions toutes faites, réputées honnêtes. Il était dans cette aptitude essentielle du gentleman d'être partout à sa place et de s'y faire remarquer le moins possible, quitte à produire son effet et à s'effacer une fois l'effet produit.

*
* *

Willy n'était pas seulement un humoriste (1) et un homme de tact, c'était un lettré de grande classe au courant de tout ce qui se publiait, se pensait, se disait dans les lettres françaises, anglaises, allemandes, et aussi du mouvement musical. Les arts plastiques l'intéressaient assez peu. Et avec ça d'une tolérance, d'un libéralisme extraordinaires. Willy cocardier, sympathisant *d'Action Française,* ancien militant de la *Patrie Française,* ami de Déroulède, de Rochefort, écrivait des chroniques dans des journaux de gauche comme *l'Ère Nouvelle,* le *Pays.* Dans les

_____

(1) Les recueils de *l'Année Fantaisiste* qui parurent de 1899 à 1908 les extravagances d'*A Manger du foin*, des dizaines de volumes de contes drôles, ses *Chroniques de l'ouvreuse (Bains de Sons, Doubles croches,* etc. etc.) où Willy mêle sa cocasserie à l'érudition musicale la plus sûre, permettent de le placer près de Tristan Bernard et d'Alphonse Allais dans les zones de l'Humour.

réunions d'écrivains, les déjeuners de presse, tant à Paris qu'à Genève où nul n'ignorait ses sentiments politiques, nul ne les lui reprochait.

C'était une vraie fête de l'esprit que de voir Willy prendre place auprès d'hommes comme Charles-Henry Hirsch, comme Romain Rolland, comme Henri Barbusse. Il ne cherchait pas du tout à les amuser. Si Barbusse avait été un homme d'esprit, par le marxisme vite assagi, Romain Rolland était l'être le moins amusant et le moins amusable du monde. Et c'est Willy qui m'a présenté à Romain Rolland avec lequel — ce jour-là, à Genève — il discutait le plus gravement du monde de questions musicales qui n'offraient pour moi le moindre intérêt si ce n'était de permettre à deux hommes d'élite de déployer à loisir les trésors de leur profond savoir.

J'ajouterai que les communistes d'alors formaient une sorte de caste intellectuelle dans l'esprit de laquelle se cristallisaient les idées d'avant-garde. C'est ce caractère séduisant que voulait sauvegarder chez eux mon camarade Paul Vaillant-Couturier lui-même admirateur sincère de Willy. Celui-ci, chez les communistes, c'était inattendu, certes, mais pas extraordinaire !

Ce n'est que sous le règne du *Front Populaire* que les idées politiques, dans le monde des lettres, ont commencé à séparer les hommes.

Romain Rolland !... Les communistes veulent qu'il dorme au Panthéon, alors que dans ses dernières volontés, il stipule son désir de reposer dans un petit cimetière de l'Yonne. Prototype du normalien prétentieux et *embêtant*. A son oeuvre manque le don de la poésie spontanée, la vraie fantaisie qui va jusqu'à l'émotion, cette écriture d'apparence négligée et facile, mais cristalline qui coule de source classique, en un mot tout ce qui peut donner de l'agrément à une grande oeuvre, à une pensée fière.

En 1914, Romain Rolland eut le courage de ses convictions. Il se mit résolument *au-dessus de la mêlée*. Pour ma part, je n'ai jamais su comprendre comment il pouvait encore y avoir des neutres. On peut fort bien ne pas partager les idées de Romain

Rolland et saluer son détachement s'il fut sincère. Ce que je ferai de grand coeur.

Depuis lors, Romain Rolland passa au bolchevisme et Moscou se l'annexa. Staline le pourvut d'une épouse soviétique qui corrigea ses épreuves, caviarda tout ce qui ne s'y trouvait point dans la ligne et lui fit écrire toutes les sottises dont la propagande du *Komintern* avait besoin.

On expédiait à Romain Rolland *le matériel* de brochures auxquelles il n'avait plus qu'à apporter la forme froide, volontiers compassée, qui donne au lecteur, pour un temps, l'illusion d'un grand écrivain.

Moscou et Berlin se fâchèrent après avoir été trop bons amis. Il y eut *l'Anschluss,* les affaires tchécoslovaques, la guerre d'Espagne, le pacte de Munich. Romain Rolland ne fut plus cette fois au-dessus de la mêlée. Il s'y jeta résolument, emboucha le buccin de Bellone et réclama la guerre. En 1939, il fut servi.

Il légitima l'agression de Staline contre la Pologne, resta muet devant nos désastres, mais se fit revanchard, résistant et cocardier ce jour fameux de Pentecôte où les armées d'Hitler franchirent la frontière soviétique.

Tel est le grand français, le patriote, que nos communistes voulaient porter au Panthéon. Jaurès eût été charmé du voisinage (1).

Romain Rolland laisse une oeuvre littéraire importante qui, dans l'avenir, dégagera une odeur de prétention et d'ennui. L'interminable *Jean-Christophe* n'a pas connu la faveur du public. Les études sur la musique, celles sur les grands artistes de la Renaissance italienne, ne sont que de la littérature. De même tout le reste. Il y a partout du professeur et du polygraphe. Les lettres prennent l'air, en l'ensemble, de servir d'alibi à la politique.

Le bilan de toute cette vie, riche de pensée et de travail, restera politique. L'avenir retiendra le rôle politique de l'homme quand ses livres seront oubliés.

(1) J'oublie un trait. Le meilleur ami de Romain Rolland fut Alphonse de Chateaubriant. Le rapprochement de ces deux grands esprits n'est que l'oeuvre d'une estime mutuelle et de l'admiration réciproque. La correspondance qu'ils échangèrent, même durant les Jours tragiques qui les divisaient a paru chez Grasset et éclaire les deux visages d'un jour imprévu.

En 1913, la revue littéraire *Le Parthénon* publia un article sur les *origines germaniques de Jean-Christophe,* Romain Rolland mit les choses au point par cette lettre qui l'honorera toujours :

« *La question des origines germaniques de Jean-Christophe vaudrait une longue réponse. — J'ai eu plus d'une raison pour choisir les pays rhénans comme patrie de mon héros. D'abord, son génie musical : c'est une plante qui, jusqu'ici, n'a pas trouvé chez nous de conditions propices pour se développer vigoureusement. Puis, comme vous le dites très bien, mon dessein d'observer la France avec des yeux tout neufs de Huron candide et barbare. — Mais j'avais une autre raison secrète, et plus profonde ce sera une réponse aux harangues des pangermanistes qui viennent de fêter avec fracas l'anniversaire de la « Bataille des Nations... ».* Le pays de Beethoven et de Jean-Christophe ne sera jamais pour moi un pays étranger. Je ne suis pas de ces lamentables français qui, dans la rage qu'ils mettent à appauvrir la France, afin de la réduire à eux et à leurs amis, ne seraient pas loin de la ramener aux limites du domaine de leur Philippe-Auguste, et qui traitent d'étranger le Genevois Jean-Jacques. Je ne tiens pas plus de compte de leur nationalisme rétréci que de l'arrogance de l'impérialisme allemand qui, par droit de conquête, s'étale impudemment dans des terres qu'il a volées. A la barbe de l'une et de l'autre, je m'annexe avec tranquillité la rive gauche du Rhin, la Wallonie, Genève et les pays romands. J'y plante notre drapeau. Que m'importent les traités de Vienne ou de Francfort, et les crimes de la politique ? Les rameaux de notre famille française, rattachons-les à l'arbre.*

Quand dix siècles de conquête germanique auraient passé sur le Rhin, ils ne feraient que Rome et que Byzance n'y aient enfoncé leur proue, et que la grande route qui mène des Alpes latines aux Pays-Bas du nord n'ait été fécondée par les semences de liberté qu'ont répandues sur leur passage les flots de pèlerins. Le Rhin est une coulée de lumière qui mûrit les coteaux et les âmes d'Occident. Elle n'est pas plus à vous, Allemands, qu'elle n'est à nous, elle est à l'Europe. Elle ne nous divise point, elle nous réunit. Qu'il en puisse être de même de mon Christophe, votre fils et le nôtre ! ».

Nous étions alors en pleine crise nationaliste, sous le règne de M. Poincaré et le ministère de M. Barthou. Sans doute, face aux événements les plus redoutables de 1914 à 1918, Romain Rolland a-t-il évolué, surtout dans ses manifestations extérieures. J'ai des raisons de croire qu'il demeura fidèle à la pensée première.

Romain Rolland était aimable, d'un naturel avenant, et recevait volontiers ses confrères, devant que son épouse soviétique ne l'eût chambré. Il les comblait des trésors d'une conversation érudite, agréable, où il ne manquait que cet esprit léger dont le scepticisme apporte l'agrément au génie.

A l'époque où je l'ai vu à Genève, en 1918, Romain Rolland était encore capable d'enthousiasme et d'admiration. Depuis lors devait-il cesser de se permettre de tels écarts (1).

Le nom de Romain Rolland fixe en mes souvenirs celui d'une époque où la pensée était libre, ainsi que son expression sincère dans toutes les provinces du royaume de l'intelligence. Il manque si peu à Romain Rolland pour s'ériger comme l'un des maîtres de l'intelligence française. Il savait tout. Il était sensible à la valeur esthétique des choses et sa pensée s'affirmait toujours noblement. « Il s'impose, me disait Willy, par le respect qu'assure à l'homme la pureté et la majesté de sa pensée. Mais il lui manque la lumière des dieux ».

La lumière des dieux, pour Willy, c'était cette fantaisie de bon aloi qui s'affirme la clé de voûte de l'artiste. C'est cette humeur agréable et ce piment d'ironie avec lequel un auteur hors série, maître de sa pensée, parvient à lui assurer l'agrément et la séduction. Voilà ce qui a fait défaut à Romain Rolland. Voilà pourquoi, sous la Coupole, il n'eût pas été dépaysé.

N'est-ce Renan qui déclarait : « Le mérite se mesure pour trop de gens à l'échelle de la monotonie. Le génie corseté de

---

(1) La victoire alliée l'a-t-elle déçu dans ses idées intimes ? Il voyait surtout dans la révolution russe le seul aboutissement possible de la guerre et il est probable qu'il se fût jeté dans ses bras pour échapper à la domination d'un vieux monde dont il avait souhaité la perte.

gravité est un génie incomplet. C'est à bon droit qu'on exige de lui l'aisance, le charme de l'expression et ce sourire qui n'est que la rose épanouie de la sérénité ».

Pour lier Romain Rolland à Willy, il y avait la science de la musique. On sait si l'un et l'autre en étaient férus et rien n'est plus interminable qu'une conversation entre deux musicologues. Ces gens-là aiment à parier des questions sur lesquelles ils ne sont jamais d'accord, mais ils discutent sans passion.

Pourquoi Romain Rolland me fait-il songer à Barbusse ? Peut-être à cause de son adhésion au communisme. Lorsqu'en pleine guerre (celle de 1914), Téry lança L'Oeuvre, journal quotidien, j'allai le voir, car j'avais besoin de gagner quelque argent.

— Vous arrivez trop tard, me dit-il, toutes les rubriques sont données.

Deux jours plus tard, il me manda par pneumatique. Nous nous rencontrâmes à déjeuner chez Mme Annie de Pène. Il me dit : « Voici ce que je vous propose. J'ai L'Oeuvre. Je vais avoir aussi les « Editions de l'œuvre ». Voulez-vous vous en occuper avec Fordyce ? ».

Ce Fordyce, que j'avais connu comme administrateur au Journal, s'appelait Aronshon. Un gentilhomme d'Israël. Il avait des qualités commerciales indéniables. Je le savais à peu près illettré. Ceci me rassura sur la nature de notre collaboration éventuelle. Téry, grand lettré, connaissait les hommes et savait le parti qu'il pouvait tirer de chacun d'eux. J'acceptai l'offre de Téry.

Mon travail consistait à lire des manuscrits destinés aux feuilletons de L'Oeuvre ou bien à être édités. Ce fut ainsi qu'un soir je me trouvai nez à nez avec M. Jean Hennessy, député, futur ambassadeur de France à Berne, dans le bureau de Téry. M. Hennessy nous apportait tout simplement le manuscrit de Le Feu. Texte copieux s'il en fut, entièrement écrit à la main, d'une écriture penchée, sur des feuillets assez sales. Les ratures abondaient.

— Barbusse, dis-je, mais je le connais. Il avait épousé la fille de Catulle Mendès et d'Augusta Holmes, il a publié d'assez bons vers, un roman bizarre et il était secrétaire général de *Fémina*.

Huit jours plus tard, je rendais le manuscrit à Téry en lui disant : « Je ne sais si vous approuverez l'esprit de cet ouvrage, mais sa portée sera considérable et il fera le succès de votre journal ».

Téry n'aimait pas les enthousiasmes. Il jugea que le mien était trop réel pour être honnête, et il me dit :

« C'est bon... c'est bon. Je voulais surtout faire plaisir à Hennessy. Laissez-moi cela. Je vais y jeter un coup d'œil ».

Lorsque je le revis, il me dit : « Vous avez vu juste. L'action d'une telle oeuvre sera considérable. Mais c'est bien pourquoi j'hésite à la publier. Notre journal est patriote… jacobin même. Oui, tout patriote républicain est jacobin. Est-ce le moment de publier un texte d'une influence aussi dissolvante ? Notre journal se doit de maintenir l'esprit public ».

— D'accord, dis-je. Mais il s'agit d'une publication en feuilleton. Le découpage atténuera beaucoup ce que vous craignez et l'on ne verra dans le texte qu'une consécration de l'héroïsme obscur d'une section d'infanterie. Au moment où les feuilles débordent de la gloire des généraux, songeons à faire oeuvre républicaine en célébrant la grandeur et la servitude du soldat. Quant aux horreurs de la guerre, elles sont connues de tous.

Téry réfléchit peu, et publia *Le Feu*. Le tirage de *L'Oeuvre* monta de quatre-vingts à trois cent mille exemplaires.

La publication terminée, je dis à Téry : « Il faut maintenant publier *Le Feu* dans nos éditions ».

Téry coupa net l'entretien.

— Ça, jamais. D'abord, comme tout le monde a lu le texte en feuilleton, les acheteurs du bouquin seront rares. En outre, vous avez reconnu vous-même que l'influence du livre, publié tout d'une pièce, serait néfaste.

Il n'y avait plus à discuter. Je me retirai en déclarant à Téry :

— Je m'incline devant votre décision, mais vous la regretterez.

Il la regretta, en effet, car Barbusse s'étant arrangé avec Flammarion, celui-ci vendit cinq cent mille exemplaires du livre et gagna trois millions.

Je rattrapai un peu l'erreur de Téry en lui faisant éditer *Les Mémoires d'un rat,* de Pierre Chaîne, le meilleur ouvrage qu'ait inspiré la guerre.

J'ai donc une modeste part dans le succès de *Le Feu.* J'ai su depuis que le manuscrit en avait été remis à M. Hennessy par mon ami Henri de Birmingham, ami personnel de Barbusse.

Quand *L'Oeuvre* publiait *Le Feu,* Barbusse était encore au front, en qualité de sergent d'infanterie territoriale. Au cours d'une permission, il vint me remercier, en uniforme, la poitrine chargée de la médaille militaire et une sardine sur la manche droite. A cette visite se sont bornées nos relations.

Plus tard, ayant adhéré au parti communiste, Barbusse éprouva quelques difficultés. Moscou le pourvut d'un admonesteur chargé de maintenir les écrits du maître *dans la ligne,* selon l'expression consacrée pour définir l'orthodoxie. L'admonesteur se présenta chez le maître, à deux pas de chez moi, rue Albert-de-Lapparent. C'était un enfant de dix-neuf ans ; Roumain par surcroît. Il exposa, dans le détail, à Barbusse, l'objet de sa mission et se fit chasser à *coups de pieds dans le derrière.* L'affaire eut, au secrétariat général du parti, les suites qu'elle comportait. Vaillant-Couturier arrondit les angles et parvint à arranger les choses.

La destinée littéraire de Barbusse s'apparente à celle de Romain Rolland en ce sens qu'elle est accaparée par la politique. Il y avait en lui un bon poète et un écrivain remarquable.

Tous deux sont, bientôt, absorbés par le propagandiste.

L'art est incompatible avec la politique. Non qu'un artiste ne puisse avoir des convictions et les proclamer, mais parce que la politique finit par ne voir dans l'art et les lettres que des éléments de propagande, ce qui les sacrifie totalement.

Une telle salade d'écrivains célèbres, si différents les uns des autres, n'étonne que ceux-là qui n'ont point connu Willy. Il les charmait tous. Je l'entends encore dire à Capus, ému de la diversité de cette compagnie changeante :

— J'ai mes opinions, tu les connais. Leur principe initial est de ne pas frayer seulement avec ceux qui les partagent, mais, pour éviter la monotonie, de rencontrer souvent ceux qui pensent autrement que moi. C'est là que je trouve mon vrai plaisir d'intellectuel.

A Romain Rolland qu'il avait si durement combattu dans la presse suisse et qui lui reprochait de l'érotisme, Willy disait : « Tout art est érotique. L'art est érotique ou n'est pas. Erotisme ? Aspect intellectuel de l'amour ».

Cette vérité profonde sur l'érotisme fondamental de l'art avait le don de mettre hors de lui un être extraordinaire que le lecteur déjà connaît bien.

Originaire de Tournus, c'est-à-dire pas loin du château de Givré, et Bourguignon salé, Albert Thibaudet cumulait le notariat, le professorat des lettres françaises à l'Université de Genève et la critique littéraire.

Si j'en crois l'ozène — cette maladie apparente des garde-notes — qui le défigurait, Albert Thibaudet demeurait notaire dans l'exercice de toutes ses occupations. Cette dégaine notariale est une affectation de mesure qui le poussait à juger d'une oeuvre dans le style où l'on rédige un acte.

Thibaudet était une sorte d'Homais de la critique. Sa platitude apportait à sa vulgarité des apparences de bon sens, et ces apparences, le bonhomme avait eu le génie d'en tirer parti. A la *Revue des deux Mondes,* à la *Revue de Paris,* au *Correspondant,* ses diatribes, bien dans le ton, eussent passé inaperçues. Mais on les trouvait en bonne place dans les chroniques de la *Nouvelle Revue Française.*

Les fléchettes de Willy n'atteignaient que ceux-là qui les méritaient. Elles harcelaient Abel Bonnard et Albert Thibaudet. Précédemment, elles avaient dégonflé un sot moralisateur : Jules-Ernest Charles.

J'avais connu Bonnard chez la Baronne de Pierrebourg. Il se destinait, non à écrire de bons livres, mais à devenir académicien. Il avait confié cette ambition à Catherine de Givré qui s'en était gaussée gentiment.

Abel Bonnard avait la dégaine d'un calicot endimanché. Il semblait dépaysé dans le monde, guindé, trop bien élevé, pour l'être vraiment. Il affectait, il se surveillait. Il portait des vestons noirs et des pantalons rayés. Comme les domestiques, il donnait aux gens, en société, leurs titres héraldiques. Il hésitait toujours à déclarer son opinion. S'il s'y décidait, c'était avec des nuances à n'en plus finir et ceci me semblait amusant.

— Voyons, Bonnard, le mur de votre jardin de Passy est-il blanc ou noir ?

— Il apparaît blanc, en effet, mais de cette blancheur qui donne l'illusion du noir. Il peut donc être de ce noir qui donne l'illusion du blanc.

Telle est la note.

Abel Bonnard avait débuté vers 1908 avec *Les Familiers* (lisez les animaux domestiques). Un an plus tard, peut-être deux, il publia *Les Royautés* qui tiennent de la poésie lyrique. Tout cela était influencé par Edmond Rostand et Mme de Noailles. Agiter la bouteille avant de s'en servir. Il s'agissait, dans les deux cas, d'une poésie oratoire et d'observation objective exactement à l'opposé de ma conception personnelle. C'était une raison pour ne pas lire. Ce n'était pas une raison pour condamner ni éreinter.

Le malheur fut que Bonnard récitât lui-même ses vers et fort bien. Il lâcha des strophes en fer blanc un peu partout, chez la duchesse de Rohan-Chabot, où on avait la ressource de ne pas l'écouter, Mme de Pierrebourg où — sauf ostentation de muflerie — il était impossible de se dérober, et ailleurs. Cocteau lui-même fut l'auditeur d'Abel Bonnard.

La force d'Abel Bonnard était d'être imposé par Rostand (le père, bien entendu). Mme de Pierrebourg était l'amie des Rostand et cherchait à être agréable au père, avare de sa présence. Mme Rostand était alors, de son mari, l'ambassadrice. Abel Bonnard était encore loin de l'Académie, mais tout faisait prévoir qu'il en forcerait un jour les portes. *Tout,* je veux dire les gens chez lesquels il dînait ou prenait le thé.

J'ai le souvenir précis de la visite d'Abel Bonnard à la Sizeranne, mais je ne puis me rappeler qu'un détail :

Catherine me pria de ne pas le retenir à dîner. Elle était ce jour-là fatiguée. Le soir, vers minuit, quand je lui fis comprendre que le chemin de sa chambre me serait plus agréable que celui de la mienne, elle me regarda désespérée et résuma comme suit la situation : « Mon bel amour, résigne-toi. L'homme propose et la nature indispose ».

Abel Bonnard s'avérait déjà l'être le plus grave, le plus conventionnel, le plus prétentieux, le plus embêtant. Seul, chez lui, devant son armoire à glace, il se faisait à lui-même de grands saluts et mimait déjà son discours de réception à l'Académie française.

On devient avocat, médecin, plombier, facteur des postes, ministre, garçon de bureau. On naît académicien. Il faut le physique, la neutralité de talent, l'intelligence spéciale, bornée, conforme, le manque complet de tempérament. Je pensais encore à la Sizeranne qu'Abel Bonnard m'en voulait. Motif : je l'avais, par surprise, associé à une orgie familiale où assistaient des dames de la meilleure société. Il craignait qu'elles en parlassent et compromissent ainsi sa future élection à l'Académie. C'est jusqu'à ces bornes qu'il poussait déjà l'inconscience et le crétinisme. Il avait dit de moi chez la Baronne de Pierrebourg : « C'est le plus gentil garçon du monde, mais il a sa situation faite et ses dépravations le rendent périlleux pour celui qui doit faire la sienne ».

Mme de Pierrebourg se demandait ce que pouvaient être mes dépravations. Certaines de ses jeunes amies, discrètes, le savaient.

Il y eut encore trois dîners de femmes nues à la Martinière. Plusieurs de mes invitées avaient la langue trop bien pendue, vantaient les charmes de ces petites fêtes à des amies intimes et dans des maisons sérieuses, sous le nez des vieilles dames, j'étais harcelé de demandes d'invitations ! Le retour de Mme de Givré apporta une solution de continuité à ces fantaisies intimes dont le meilleur est sans doute qu'elles aient trouvé leur fin. Bonnard fut le seul à me remercier. Peut-être parce que l'envie devient normalement une forme de la gratitude.

Le pauvre Abel Bonnard estimait sa vie faite le jour qu'il passa l'habit vert et ceignit l'épée. Ceci implique déjà pas mal d'insuffisance. On l'avait élu en remplacement du bon Charles Le Goffic qui s'était imposé comme poète.

C'est une idée qui court depuis que l'Académie existe : Il faut des poètes sous la Coupole. C'est même souvent là que la Société les tolère et probablement parce que, pour les vrais poètes, ceux de l'Académie sont les moins tolérables. Or, à l'Académie, Bonnard ne représenta pas la poésie. Il n'y fut que le représentant du vide de son âme et de son coeur, que le symbole de rien du tout.

Mais si Bonnard ne se voyait attribuer Quai Conti qu'un sens aussi négatif, c'était surtout à cause de son néant à lui dont il n'était même pas responsable. C'est si vrai qu'il s'efforçait, parmi les quarante comparses, de tenir son rôle.., son effort s'avérait de plus en plus vain chaque fois qu'il le renouvelait. Et telle est la raison pour laquelle il abonda dans la politique la plus inopportune lorsque l'occasion s'en offrit à lui.

Je dis inopportune non à cause du Maréchal Pétain dont l'action sauva la France, mais à cause d'Abel Bonnard. Le fait qu'il pensait y exercer une influence prépondérante atteste de sa naïveté. Il comptait arriver à la popularité. Il n'aboutit qu'à se créer des adversaires, voire des ennemis, et le jour où le ministère fut liquidé, pas une voix amie, pas la gratitude d'un obligé ne se fit entendre pendant la dégringolade et la fuite.

Abel Bonnard existait si peu qu'il n'avait même pas songé à Abel Bonnard. Il se trouva face à face avec l'infortune, les mains crispées dans des poches vides. C'était gâcher le métier...

J'ignore encore les raisons qui opposaient Willy à Abel Bonnard qui, à défaut de talent et de caractère, était aimable et correct dans la mesure où l'amabilité et la correction peuvent provenir de règles apprises par coeur et observées grâce à une surveillance constante de soi-même.

Bonnard crut se venger de Willy en menant une lyrique campagne à la gloire de Colette. En fin d'après-midi, chez Mme Bulteau, avenue de Wagram, j'ai vu Bonnard entonner dans un cercle un chant lyrique en l'honneur de Colette écrivain. Contrairement à son habitude, Bonnard parlait haut. Il voulait être entendu dans un cercle voisin où s'escrimaient avec finesse Willy et P.-J. Toulet.

A force de s'écouter parler, Bonnard n'entendait pas ceux dont il voulait se faire entendre. Willy se livrait à une glorification ironique du talent de son *ex,* et, vite d'accord avec lui, Toulet déchirait Colette. Les deux cercles n'en firent bientôt plus qu'un. Entre Willy et Toulet, Abel Bonnard n'avait plus qu'à se taire. C'est ce qu'il comprit au moment où Willy, feignant d'en vouloir à Toulet, lui dit : « Merci, Bonnard, vous avez parlé en homme de cœur ».

D'Abel Bonnard, Mme Rostand, le disait ouvertement « vertueux », ce qui signifie en même temps chaste et courageux. Mme de Pierrebourg en riait : « Vous devez être malin. C'est bien à votre habileté que vous êtes redevable de tant de vertus ».

Pendant l'occupation j'eus à lui demander un léger service. Comme il m'en avait prié, je me présentai chez lui, avenue Mozart, vers neuf heures du matin. Une vague bonne vint m'ouvrir, m'introduisit dans un salon Louis XVI, fabrication Majorelle 1910, et me pria d'attendre : « Monsieur le ministre est avec la petite Déjanire ».

Je m'assis en me demandant ce que pouvait être cette enfant-là... Une porte s'ouvre alors sur une salle â manger où Abel Bonnard est assis devant un café au lait fumant et des rôties. La femme de service étant polonaise, la petite Déjanire n'était que le petit déjeuner.

Telles sont les seules amours que j'ai jamais pu attribuer à Abel Bonnard. Je souhaite néanmoins pour lui être incomplètement informé.

Bonnard n'était obligeant et serviable que pour quelques-uns. Ministre pendant l'occupation, il aida Colette à vivre et se vit, par la suite, lacérer par elle. Il versa en outre, par le truchement de la Société des Gens de Lettres, une vingtaine de mille francs à M. Claude Morgan qui, à la délivrance, fut le premier à exiger sa mise à mort. Bonnard fut le premier surpris. Il croyait M. Claude Morgan fasciste ! M. Claude Morgan l'avait été et demeurait signataire de messages fervents à M. Mussolini. (…)

Quand nous suivrons la course de Colette à travers ces trafics en tous genres qu'elle appelle ses amitiés, nous verrons ce que valent ces sentiments auprès de ceux que suscita son ancien mari, malgré sa hargne et sa haine. Un être a tout de même les affections, les amours, et suscite les dévouements qu'il mérite.

Billy, Cocteau, Carco, Dorgelès. De l'affection ? De l'amitié ? Tout au plus de la solidarité dans un syndicat d'accaparement. Ces gens-là, comme Colette elle-même, s'imaginent que le succès d'un autre leur tire le pain de la bouche.

L'Académie Goncourt a eu une glorieuse époque. Chacun sait qu'elle a débuté en couronnant dix ou douze bouquins bien choisis. Mais, dans un cercle d'initiés à la « chose littéraire », qui pourrait, aujourd'hui, citer seulement les noms des trois derniers auteurs couronnés ?

Nous avons plusieurs fois fait l'expérience, quelques amis et moi, notamment Léo Larguier, qui était du bâtiment.

L'homme qui connaissait le mieux l'Académie Goncourt, son histoire, ses grandeurs et ses misères, la mentalité des gens qui la composent, était mon ami Léon Deffoux. Il était chef des informations parisiennes de l'Agence Havas, officier de la Légion d'honneur, auteur d'une histoire de l'Académie Goncourt qui fut éditée sur mon intervention, en 1919 ; d'un livre curieux sur les écrivains du groupe de Médan, et d'un roman dans l'esprit de Jules Vallès : *Pipe en Bois, témoin de la Commune,* Deffoux habitait à Belleville, rue des Pyrénées, et s'avérait fortement pénétré de l'esprit de son quartier.

Lors de la Libération, Deffoux se vit reprocher d'avoir, à l'Agence Havas, gagné sa vie, celle de sa femme et de sa mère. Craignant d'être radié de la Légion d'honneur, il se jeta dans la Seine où on le repêcha deux jours plus tard.

Deffoux n'était pas, comme Carco, le frère d'un ministre de Pétain. Il ne pouvait gagner la Suisse avec l'aide des pouvoirs publics et y résister en y résidant à l'aise. Il n'était pas résistant à tous crins comme ses amis André Billy, Roland Dorgelès, dont pas un ne songea à se porter garant de son civisme et qui se bornèrent à pleurnicher avec prudence sur son trépas.

Deffoux avait encore une amie, une amie que je lui avais fait connaître en 1912, et qui s'appelait Mme Colette. Une cordialité s'établit entre eux qui devint de l'amitié fervente en 1917, lorsque Téry publia *L'Oeuvre* quotidienne et qu'à son activité de l'Havas Deffoux fût autorisé à joindre celle de directeur littéraire de *L'Oeuvre*.

De ce jour-là, Colette fit le siège du cabinet de Deffoux. *Le Marin* ne suffisait pas à Rosine.

En 1944, Colette pouvait tout. Elle avait remarquablement bien joué, sur les deux tableaux. Le jeune homme dévoué qui lui servait de mari avait été tiré du pire par Sacha Guitry. Il n'en fallait pas davantage pour que le couple se retournât contre Sacha Guitry et contribuât à le faire coffrer.

Tout Paris savait que Deffoux avait des embêtements. Nul des héroïques résistants qu'il avait tant de fois obligés ne songea à venir à lui.

Certes, Deffoux avait commis une faute : le manque de caractère. N'importe quel homme libre eût arraché la rosette de sa boutonnière et l'eût jetée à l'égout. Une telle manière de se libérer ne peut être que le fait d'âmes très fortes. Le pauvre Deffoux n'avait pas l'âme forte. C'était un humble, un naïf. Il s'était fait complètement lui-même, en demandant aux lettres, aux amis qu'elles lui procuraient, une consolation de sa médiocrité matérielle qui ne l'empêcha jamais d'être un honnête homme et un grand coeur.

Pour Deffoux, cette rosette rouge, c'était le respect de sa concierge et de ses fournisseurs, c'était l'attendrissement de sa vieille mère et la considération infinie de la brave petite femme qui était sa compagne fidèle et dévouée. Deffoux rentrant chez lui veuf de cet absurde macaron n'était plus qu'un roi détrôné, lui dont la pipelette m'avait un jour déclaré : « Monsieur Léon, Monsieur, c'est l'honneur du quartier ».

Un petit article de Billy l'a enterré, lui et son macaron. Une simple intervention du *Figaro* pouvait le sauver. Billy a préféré ne pas se compromettre. Lui aussi a un jour, comme Deffoux, comme Colette, laissé son caractère au vestiaire et il a toujours remis au lendemain le soin de le dégager.

Autre amitié de Colette : Anatole de Monzie. Nous allons voir, au chapitre suivant, les dessous de cette amitié-là et ce qu'il faut en penser. « Ils sont à cul et à chemise, disait Henri de Jouvenel. Mais, la chemise, c'est tout de même Anatole ».

Les amitiés belges. L'élection de Colette à l'Académie Royale est la résultante d'une gaffe de Paul Claudel. Ambassadeur de France, dans une inconscience parfaite, il s'était présenté et se trouvait devant la certitude de n'être pas élu. Ceci résultait d'un petit travail occulte de Mme de Noailles qui détestait l'ambassadeur. Mme de Noailles mourut, mais pour éviter une humiliation publique à la France qu'il avait oublié qu'il représentait, Paul Claudel négocia le retrait de sa candidature. Et pour ne pas donner à Claudel un rival masculin, le choix se porta sur Colette. Elle alla prononcer son discours de réception et comparut devant la reine des Belges les pieds sales, nus dans des sandales et, pour attirer l'attention sur ce détail répugnant, les ongles de ses orteils étaient passés au carmin le plus éblouissant.

Colette a suscité deux amours, deux dévouements gratuits dans sa vie H... et Henri de Jouvenel. Willy l'avait aimée, certes. Il en était copieusement dégoûté au bout de la deuxième année de son mariage. Trop philosophe pour s'en faire, il se consolait philosophiquement de cette désillusion. On a vite fait du lyrisme sur les richesses de l'instinct pur, mais lorsqu'il aboutit à compter des marrons, on sait comment, sous les yeux de l'amour, les richesses deviennent catastrophiques.

Pourquoi, par principe, me suis-je méfié de Colette à qui, de 1906 à 1922, avec interruption de quatre années de guerre, j'ai donné toutes les preuves possibles et tangibles de l'amitié ? Le jour où j'ai connu Colette, j'en terminais avec ma dix-neuvième année. Colette avait trente et un ans. Elle n'était plus à l'âge où l'on mime les gigolettes. Elle savait ce qu'elle faisait. Elle savait même trop bien pour être tout à fait défendable. La moindre des choses était de ménager une affection jeune et sincère qu'il était si facile pour elle d'orienter vers l'amitié. Colette a préféré ne m'éviter aucun chagrin. Motif : « Tu es drrrôle quand tu fais du sentiment ». Dans les villages de France, il existe des femmes vieilles et même jeunes qui, pour mieux les faire chanter, crèvent les yeux de leurs serins.

Je n'ai jamais voulu me laisser aveugler, même par l'amour ni surtout par l'honneur. J'ai été le collaborateur de plusieurs ministres sans me décorer moi-même à la liquidation du cabinet, ni passant par l'état-major d'une armée, rédigé moi-même ma propre citation et ma proposition pour la croix.

Débutant, dans les sphères littéraires, je me prenais à affecter un petit air sérieux. Cet air que Willy blâmait ne déplaisait pas à son ami Jean Moréas. Je dis son ami car, surtout sur le chapitre de Sophocle et des poètes de l'Archipel et de l'Anthologie, il le mettait volontiers en boîte et facilement.

A propos du poète des *Stances,* Alfred Vallette disait devant moi : « La fatalité du sort s'abat sur l'indifférent, non sur le désespéré ». Je me permis d'ajouter : « Délicatesse d'une nature que tout blessait, fors les attentats à la bienséance ».

J'ai connu toutes les notoriétés de mon temps, soit comme écrivain, soit comme journaliste. Les seuls êtres qui m'auront vraiment plu sont les poètes. Chacun de ceux-ci a son originalité, ses qualités, ses travers, ses vices, d'accord. Mais il n'y en a pas un qui n'ait sa noblesse, ni quelque vertu transcendante bien à lui...

Certes, j'aime Muselli et Paul Fort. Mais je crois que le poète le plus absolu de ce temps aura été Jean Moréas.

J'ai souvent parlé de lui dans mes recueils de souvenirs. Je l'ai montré au physique tel qu'il fut : peu lavé, de linge douteux, les vêtements tachés. J'ai dit son vilain caractère, ses manies, ses tics, sa vanité prétentieuse et son génie qu'il n'avait pas le talent de rendre tolérable. Après quoi, je me demande encore comment j'ai subi à ce point son attraction.

Il a exercé sur moi une influence démesurée. Chacun de ses poèmes était une leçon, et j'ai trop aimé sa poésie veuve d'amour dont la forme suggère une idée vague, souvent banale, qui ne dépasse pas l'image.

J'ai, dans divers livres de souvenirs, évoqué Moréas au

physique et au moral, « resplendissant de sa gloire ». Je me demande encore comment mes amis et moi-même, nous avons pu consacrer tant de nuits à subir son humeur changeante, ses insolences et sa sottise.

Ce qui faisait le prestige de Jean Moréas, c'était sa poésie, qui correspondait à un perpétuel effort créateur et non à une série de tics d'imitation. Il était servi par un sens supérieur de la beauté, de cette fortune qui fit de lui l'un des *pianistes* virtuoses du vers français. Il a pourtant osé écrire, ce puriste :

Et ton socle de marbre où l'oiseau vient poser

Moréas fut, comme Mallarmé et Verlaine, tout autre chose qu'un poète symboliste s'exprimant en vers réguliers. Telle était sa définition par André Dumas, parnassien attardé.

Le personnage ? Il me tendait son étui à cigares, me désignant un *Londrès* : « C'est un cigare pour admirateurs ».

Je l'ai montré, traitant Victor Hugo d'imbécile, Musset, de Jean Foutre et concluant : « Il n'y a que Racine, Malherbe et moi ».

Voici un bon portrait de Moréas intime (1).

Ce jour-là, le maître s'est levé de fort méchante humeur. Un fâcheux ne s'est-il point avisé de venir tirer sa sonnette à onze heures du matin, instant délicieux du premier sommeil ?

— Qui est là ? maugrée Moréas derrière la porte. Un nom inconnu, c'est un jeune poète tout frais débarqué de sa province.

— Je n'y suis pas

— Mais le concierge, Maître, m'a dit que vous y étiez.

— Le concierge est un âne. Je n'y suis pas ! Vers cinq heures, il descend à pas lents l'avenue

d'Orléans et le boulevard Saint-Michel. Au premier café où il s'assoit en compagnie de son ami l'Assassin

— un grand diable barbu et débonnaire qui n'a jamais assassiné personne — voici qu'un petit bossu vient prendre place en face de lui.

(1) Il a paru dans le *Mercure de France* en 1909. Je le crois de la plume d'Henri Clouard.

— Allons-nous en ! Je n'aime pas les bossus.

Et il sort sans attendre sa consommation.

— *La Gazette de France,* demande-t-il au premier kiosque à journaux.

— Tiens, encore un bossu, ce marchand, remarque l'Assassin.

Le Maître ajuste son monocle.

— Comment ? Vous êtes bossu, vous aussi ?

— Je suis bossu. Monsieur.

— C'est ridicule, gardez votre journal.

Une commère grasse et rougeaude occupe le kiosque suivant.

— *La Gazette de France,* réitère le Maître, non sans avoir vérifié soigneusement la courbe de son épine dorsale.

Elle lui tend l'antique feuille. Il paie et la déploie. Mais il n'y peut découvrir son feuilleton littéraire :

— Ce n'est pas le bon numéro.

— C'est le dernier.

— Je n'en veux pas !

— Mais vous l'avez déchiré !

La discussion se poursuit, tandis que l'Assassin tire impérieusement son ami par le bras.

— Viens, viens...

Enfin, Moréas :

— Allez vous faire f... ! jette-t-il à la vieille, qui pâlit sous l'injure.

— ... Si vous pouvez, ajoute-t-il en s'en allant, très digne.

Las des grands restaurants de la rive droite et des bistros de la rue Mouffetard qu'il fréquente également, il pénètre ce soir-là dans un de ces paisibles bouillons du quartier latin que hantent des professeurs retraités, des savants à lunettes, membres ou non, de l'Institut, bref toute la somnolente vieillesse des Ecoles. Ces sages à barbe blanche courtisent discrètement les boniches et se gardent d'élever jamais la moindre critique contre l'ordinaire de l'établissement.

Le dîner s'est par miracle passé sans incident. Moréas examine chaque plat d'un oeil soupçonneux, mais daigne y goûter. L'Assassin se rassure. Hélas ! la servante dépose sur l'assiette du Maître un tout petit gâteau. A peine l'a-t-il approché de sa bouche :

— Enlevez-moi cette horreur !

— C'est la tarte de la maison, proteste timidement la vierge effarouchée.

Moréas s'est dressé, l'assiette à la main, le geste vengeur, le monocle en bataille :

— Vous me dites que c'est une tarte, une tarte de la maison ? Eh bien moi, je vous dis que c'est de la...

Le mot creuse soudain un grand silence parmi les vieux habitués stupéfaits (1).

Tout cela était cocasse pendant dix minutes, puis devenait embêtant. Pour nous distraire, dans la bande, Willy semblait suffisant, ou, à son défaut, Georges Fourest. Fourest était un défenseur farouche de Willy. Le poète de la *Négresse blonde,* l'auteur des *Contes pour les Assassins* lui devait tout et ne s'en cachait pas.

Il advint que Jean Moréas, poussé, je crois, par le conseil mystificateur d'Emile Faguet, qui souvent se mêlait à nous, se décida à présenter sa candidature à l'Académie. Il prit la chose sur le ton grave et nous invita tous, de Willy aux Tharaud, de moi-même à du Plessys, à éviter désormais toute incartade au sujet de l'Hôtel de Conti afin de ne pas le mettre dans une fausse situation, si bien que nous vécûmes au café Vachette comme des gens que MM. Thureau-Dangin, Alfred Mézières, Gaston Boissier et Jules Claretie, devenus magnifiquement invisibles, venaient espionner dans leurs conversations.

On sait que l'affaire se termina par un fiasco. Ce fut Barrés qui, sortant de l'Académie, vint apporter à ses vieux amis Moréas, Paul Fort, Maurice du Plessys et Willy le résultat du scrutin. Il était parvenu à ramasser huit voix en faveur du poète des *Stances.*

---

(1) Willy, toujours passionné du mouvement poétique a été le plus zélé des défenseurs des poètes romans et de la poésie romane. Malgré leurs discussions qui chez Moréas se prolongeaient sur le ton de la dispute, Willy fut, dans la presse, fidèle défenseur du poète des Stances.

Moréas devint furieux et baptisa Jules Claretie, le garçon de café qui nous servait. Ce pauvre homme avait déjà un nom qui équivalait à un surnom. Il s'appelait Jules Guesde, ce qui amusa fort Maurice Barrés et ce dont Willy devait tirer parti pour l'une de ses chronique du *Rire*.

La chronique de Willy, mordante, acide, vengea Moréas des dédains de l'Académie. Moréas s'en déclara ravi et remercia Willy en lui annonçant qu'il chargerait désormais à fond tous ceux qui le persécutaient. Willy, qui ne se sentait nullement persécuté, se mit à rire de bon coeur.

Le mardi suivant, à cinq heures du soir, j'étais au *Mercure*. Colette venait d'entrer dans le salon de Rachilde et je l'entretenais à voix basse, lorsque, comme la statue du Commandeur, Moréas surgit devant nous. Sans la saluer, il regarde Colette et lui crie : « Madame, vous êtes indigne ». Sur quoi il gagne le cabinet d'Alfred Vallette.

Colette, furieuse, haussa les épaules et déclara à Rachilde, qui s'informait de l'algarade : « Rien. C'est Matamoréas ».

Colette liquidée, je rejoins la parlote de Valette. Moréas se tourne vers moi et me demande : « Ai-je été bien ? Vous mettrez Willy au courant, n'est-ce pas ? ».

Vers 1922, l'Académie intervint une fois encore dans mon commerce amical avec Willy. Ce dernier habitait alors tantôt Genève, tantôt Monte-Carlo. Mon excellente cousine, la comtesse O'Kelly, se trouvait liée d'amitié avec M. Pierre de La Gorce, historien, académicien. Sachant par moi que Willy séjournait à Paris pour un mois, souhaitant le connaître, elle me pria de l'amener dîner chez elle. M. de La Gorce était présent. Il avait un second métier. Il était magistrat. Son *Histoire du Second Empire* a été écrite à ses moments perdus. M. de La Gorce était un historien du dimanche et des jours de fête, ce qui explique l'importance démesurée qu'il attachait à son Académie.

Cette douce manie ne faisait de mal à personne. Pour un magistrat en retraite, l'Académie vaut bien une place dans les assurances ou la présidence d'honneur du Club des pêcheurs à la ligne.

Ma bonne cousine nous fit dîner, Willy et moi, deux ou trois fois avec M. de la Gorce. Elle lui avait parlé de mes romans qu'elle ignorait, étant lettrée seulement en tant que mondaine, et que M. de La Gorce académicien ne soupçonnait pas.

Le hasard voulut que Mme O'Kelly de Gaiway tombât sur un exemplaire *d'Hamlet aux deux Ophélies.* C'est l'histoire d'un garçon dont l'oncle est procureur général. La fille de ce procureur, mal mariée, est sa maîtresse. L'amant la trompe. Elle l'apprend et s'empoisonne. En apprenant ce malheur, l'amant la regrette. Il a eu pas mal d'efforts pour empêcher son oncle d'accaparer sa fortune et il le hait. D'autre part, il veut récupérer de sa cousine une photo qui se trouve dans un cadre d'argent, sur le bureau du cabinet de travail du magistrat. Il s'arrangera donc pour faire cambrioler celui-ci par des malfaiteurs auxquels il indiquera le coup à faire, et sa rémunération sera la photo. L'opération présente de l'imprévu. Les cambrioleurs, surpris, par le magistrat, le serrent un peu trop fort pour qu'il se taise, et il meurt étranglé. Le neveu, en apprenant ce détail, perd la raison.

Ce roman, lu par M. de La Gorce, faillit le rendre aussi fou que mon personnage. Il s'indigna pour mon manque d'égards pour la magistrature debout, même pour l'assise, et me dit : « Songez-vous qu'avec une horreur pareille, vous risquez de vous fermer à jamais les portes de l'Académie que votre talent, après pas mal de travail, pourrait un jour vous ouvrir ? ».

Je regardai M. de La Gorce en souriant et je lui dis : « Mon Cher Maître, je ne serai jamais de l'Académie. Vous oubliez, en suscitant en moi l'ambition d'en être, que je suis, avec mes amis Paul Fort et André Salmon, l'un des survivants de *l'Académie des Fumeurs de pipes de Plaisance,* et que les statuts de cette compagnie, créée par Jean Moréas, nous interdisent d'être inscrits dans les cadres de toute autre institution du même genre ».

Mme O'Kelly levait les yeux au plafond, comme pour implorer l'intervention d'un ange. M. de La Gorce bavait dans sa courte barbe. Et Willy riait éperdument sous cape.

Sur le chemin du retour, il me dit : « Vous avez été épatant. C'est ainsi que je voudrais que vous fussiez toujours ».

5

Notre époque n'est supportable pour ceux qui ont vécu l'autre, que parce qu'avant 1914, on a vraiment su ce qu'était le plaisir. Habitués à vivre pour notre plaisir, nous avons persévéré dans les temps qui suivirent à vivre selon sa loi.

Il en résulte que nous passons pour des monstres simplement parce que nous avons conservé notre âme, notre personnalité, et que, sceptiques sur le chapitre de la foi, et de la foi démocratique, nous avons échappé au destin de ne plus être que des unités de statistique. Nous sommes restés des hommes libres et, monstrueusement dupés, spoliés, volés, nous avons encore, par la force de l'habitude, trouvé le moyen de ne pas nous priver de grand'chose. Là, seulement, pour celui qui sait rire et se moquer, se fût produite la vraie catastrophe.

Pas mal d'aimables femmes nous ont suivis dans cette aventure quelque peu scabreuse et périlleuse parce qu'elle attestait de toute l'imposture du « principe souverain » de l'égalité des hommes. Les gens d'à présent ignorent la liberté à force de s'embourber dans une égalité réalisable seulement par en bas. Pour se donner l'illusion d'être libres, ils ne connaissent que deux moyens : polluer un chef-d'oeuvre ou vomir l'outrage gratuit sur quelqu'un qui leur est intellectuellement ou socialement supérieur. Tandis qu'ils se livrent à un tel sport, nécessairement impuni, l'Etat, leur laissant l'illusion de l'Egalité, de la Liberté et de la Fraternité, leur supprime progressivement, au nom de la République, tous les éléments de leur liberté individuelle.

Le plaisir et la liberté sont frère et soeur. Ils ont le même secret : on ne demande pas son plaisir, on le prend. Il en est exactement de même de la liberté. Et c'est pour savoir ce secret qui a régi toute notre conduite que nous passons, nous, hommes démodés, femmes périmées d'avant 1914, tantôt pour des monstres d'égoïsme, tantôt pour des demi-dieux.

Nous ne sommes ni les uns, ni les autres. Nous sommes des routiniers. Ayant l'habitude du plaisir, nous ne pouvions la perdre.

Ceux qu'il faut plaindre, ce sont ceux qui ont vécu la vie magnifique de la Troisième République à son apogée et qui, jusque dans la fièvre de la volupté, ont ignoré le plaisir. Le plaisir, c'est la volupté tempérée par l'esprit.

Et voilà pourquoi Colette est d'abord une femme à plaindre.

De la volupté, elle a l'esprit féroce, aiguillonné par l'égoïsme carnassier. De l'esprit, elle peut en donner l'illusion parce qu'elle sait voir les choses, mais cet esprit apparent est perverti et insupportable à force de méchanceté naturelle. Nous avons défini cette forme particulière de l'instinct.

Peu après qu'elle eût quitté l'appartement de Mme de Morny, où elle ne fit en somme qu'un séjour éclair, Colette prit à son service une fille extraordinaire avec laquelle elle avait des disputes terribles, mais dont elle ne pouvait se passer pour la simple raison qu'elle était encore plus perverse et plus méchante qu'elle. Cette fille, dont j'ai oublié le nom, toute de laideur et de vulgarité, espionnait Colette et la mouchardait. Elle s'imaginait acquérir les bonnes grâces de « Madame la Marquise » ou de « Monsieur Willy », en allant leur raconter tout ce que faisait Colette.

C'est par elle que j'ai appris, en 1907 ou au début de 1908, que Mme de Belbeuf payait depuis la séparation la location de Colette et lui servait une mensualité de 500 francs, que tout n'était pas rose dans les relations de Colette et de Mitzy ; que celle-ci ne pardonnait pas à sa maîtresse la gaffe énorme qu'elle avait faite en se laissant entraîner sur les planches du Moulin Rouge (1).

J'ai su, en même temps que Willy, que ces disputes allaient loin et jusqu'à des coups de cravache dont les larges fesses de Colette, bien cinglées, gardaient des traces bleues. J'ai pourtant peine à croire que Mme de Belbeuf se fût laissée entraîner, aveuglée par l'amour.

Le souvenir que je conserve d'elle est double. C'est d'abord celui d'une femme très intelligente, douée d'un flair et d'un tact extrêmes, parlant avec charme, et s'avérant femme du monde en tout point.

Cette personne éminente, très cultivée, avait ses heures d'excentricité. Elle s'habillait en mécano pour tourner des robinets et des boutons de porte et recevait des gens, devant son tour, dans un atelier tapissé de copeaux de laiton.

Ce plaisir de tourner le cuivre, comment lui était-il venu ? Son frère, le duc de Morny (Serge) racontait, et il me l'a dit un soir, au restaurant « Le Doyen », ainsi qu'à Constantin Ullmann, et à Marcel Proust, que sa soeur avait, avant Colette, été la proie d'un immense amour pour une ouvrière de la Maison Brénot frères. Ceux-ci, établis depuis tous temps boulevard de Charonne, sont les rois de l'industrie du cuivre parisien. L'un des obstacles qui séparait les deux amoureuses était la naissance. Cet obstacle, Mme de Belbeuf avait voulu le faire disparaître en se mettant au rang de sa bien-aimée dans la condition ouvrière. Elle l'avait retirée de chez ses employeurs, installée à son compte, et travaillé avec elle.

(1) C'est de cette époque que datent les liasses de lettres, de pneumatiques où Colette, harcelant Willy, la suppliait de reprendre la vie commune. Madeleine de Swarte les avait héritées de Willy. Je les héritai de Madeleine. Je m'en suis défait. Elles ne soulevaient en moi que le dégoût. Surtout celle où Colette écrit à Willy : « *Il parait que te voilà mieux disposé. Si je quitte Missie* (Mitzy, madame de Belbœuf) *que fais-tu pour moi ?* ». Cette lettre, avec les dernières écrites par Colette à Willy, se trouve dans la collection de M. Leconte, bibliophile, à Paris, qui la tient à ma disposition s'il en est besoin. D'autres, qui datent des premiers jours de la séparation sont dans la collection de M. Pierre de Réchin, bibliophile à Verviers, Belgique. L'une d'elles stipule : « *Je mesure* sic) *l'énormité de mon erreur, et seule, je sens que je ne puis me résigner à vivre sans toi, ceci avec le sentiment profond de tout ce que tu as fait pour moi* ». Je pouvais publier ici ces lettres. Je n'en n'ai rien fait pour ne pas créer chez le lecteur une inutile impression de dégoût. Les faits vécus, les phrases entendues que je relate ici suffisent. Ce serait s'abaisser que de tomber dans les petits papiers. N'en retenons que ceci : Colette, jusqu'au divorce, n'a eu pour désir et pour espoir que de renouer avec son mari.

Le malheur est que la tourneuse de cuivre ressentit un jour la nostalgie d'un bonheur normal et se maria. Mme de Belbeuf en conçut un profond chagrin, et trouva dorénavant une consolation en tournant du cuivre toute seule.

Je n'ai pas vérifié l'authenticité de cette histoire, Serge de Morny, que j'ai peu connu, m'est souvent apparu comme hâbleur et plus élégant et bien élevé que réellement intelligent. Resterait à savoir s'il était capable d'inventer...

D'autrefois, Mme de Belbeuf revêtait un complet masculin, bleu marine, de la meilleure coupe de Carette ou de Voisin, culottiers célèbres à l'époque, Poole, ni Scott n'étant encore installés à Paris. Cravatée de rose tendre, avec une énorme perle baroque grise, en forme de poire dont je n'ai connu la même qu'à Maurice Rostand à l'époque de ses débuts, gantée de daim, monoclée, armée d'un jonc à pomme d'or et chapeautée d'un magnifique feutre gris perle comme en portait l'été le tragédien Edouard de Max, Mme de Belbeuf se promenait aux Champs-Elysées et même avenue du Bois.

C'était une marcheuse intrépide et, ayant passé une soirée avec elle — travestie en femme — et des amis au Cirque Médrano, boulevard Rochechouart, il me reste le souvenir de l'avoir reconduite rue Marbeuf « *pedibus cum jambis* ». Elle m'avait imposé ce mode de locomotion.

J'ai l'impression que sa vie était double, l'excentrique moins fréquente que la morale.

Son appartement était meublé en style mi-Félix Faure, mi-second Empire, avec de grandes tentures en soie rose et jaune. Elle y recevait, dans deux salons en enfilade, dont l'un, garni de Boule chinoisant provenant de la Niche paternelle, la « Niche à fidèle *s,* une Société curieusement mêlée où son frère Serge amenait de ses collègues du Jockey Club, et où, parmi des femmes libres du monde le plus authentique, pullulaient des dames comme Clémence de Pibrac, Emilienne d'Alençon. Jean Lorrain était l'ami de la maison. Je ne l'y ai jamais vu, et Liane de Pougy.

Mais d'un tel salmigondis, la tenue était parfaite et un étranger se fût estimé dans le gratin de la Société.

Je crois d'ailleurs que Mme de Belbeuf tenait à entretenir cette illusion et n'eût pas toléré chez elle une incartade. Aussi ai-je peine à m'imaginer ces orgies évoquées par Colette, où des adolescentes nues, au dessert, se fourraient une banane là où l'on pense.

Mme de Belbeuf ne se cachait point de ses goûts saphiques, mais je crois que ses amours se donnaient le cours libre dans la discrétion,.,

Comment, pour une personne aussi mesurée et aussi racée, ne tenir l'aventure du Moulin Rouge comme un aveuglement sentimental ? Je pose la question, je n'y réponds pas, et je vois difficilement Colette entretenue à 500 francs par mois et traitée à coups de stick, imposant sa volonté à une dame qui tenait à la sienne.

Colette, d'ailleurs, avait changé de dispositions sentimentales. Elle ne songeait plus qu'aux garçons. Son principe, dans l'amour, était la variété, et les méchantes langues la faisaient passer pour facile.

En été 1908 ou 1909, je la rencontrai, un soir à Luna Park, où, ayant dîné seul, j'allais fumer un cigare. L'envie me prit d'un verre de fine champagne. Au bar, je rencontrai Colette qui chahutait et se faisait chahuter par deux gigolos assez inquiétants. Je fis semblant de ne pas la reconnaître. Ce fut elle qui vint me serrer la main et s'informer de moi. Elle me dit : « Je ne te présente pas à ces messieurs. Ce sont des petits camarades que je viens de rencontrer à la terrasse de chez Watrin ».

Je lui répondis que j'étais content de voir qu'elle se portait bien. Watrin, le Café des Sports, porte Maillot, était fréquenté par les professionnels de l'automobile, c'est-à-dire rien de bien relevé.

Elle s'éprit de Lucien Fauchon, celui-là même qui cocufiait le duc de Montpensier, par les caprices de Pierrette Rothschild. C'était une ex-institutrice que l'on appelait ainsi pour une liaison plus ou moins éphémère avec le baron Robert de Rothschild. Fatigué d'elle, il l'avait refilée au duc de Montpensier qui tolérait plus ou moins ses infidélités avec Lucien Fauchon, jeune et beau, riche, neveu d'un sénateur influent, aimable et mal élevé.

Il poussa l'incorrection jusqu'à parler au Prince d'une table à l'autre dans un nocturne restaurant de Montmartre. Le duc fit semblant de ne pas s'en apercevoir, mais son chevalier d'honneur, M. de Johanto, fit mettre Lucien Fauchon à la porte de l'établissement. Pierrette trouva le mot de la fin : « Il est d'une excellente origine. Monseigneur, il faut excuser ce garçon-là... c'est le Philippe Egalité de sa famille ».

De Colette, rencontrée dans les coulisses d'un Music-Hall, Fauchon fit ce qu'il voulait. Il lui manifestait sa joie de la voir, après attente d'une demi-heure au thé Ceylan, rue Caumartin, en lui tapotant le derrière devant les consommateurs amusés. Je demandai à Colette comment elle tolérait cette façon de faire, elle me répondit : « Ce garçon m'adore. Et à travers le drap de ma jupe tailleur, je ne sens pas ses claquettes » *(sic,* avec l'éternel roulement des r).

Fauchon était très loin d'être un imbécile. L'un de ces types nés avec une prodigieuse aptitude à ne rien faire et la volonté bien arrêtée de ne point contrarier cette vocation. Retour du service militaire, il transportait dans le civil les manières des troufions délurés. Sa majorité venait de le mettre en possession d'une belle fortune. Le pauvre diable s'est fait descendre dans la boue des Flandres en 1915, un peu trop tôt pour achever de dévorer ce qui en restait. Nous étions amis, et il était indiscret et grossier.

Un soir que je l'avais rencontré au bar du Canton où il se conduisait comme une éponge trempée dans du gin, je lui demandai des nouvelles de sa maîtresse. Il me confia que « ça branlait », qu'il en avait sa claque de la voir coucher avec une incroyable variété de cabots et de rastas, qu'il était sur le point de la semer...

Il me fit quelques confidences sans intérêt qui m'amenèrent à lui demander si Colette était une amie désintéressée. Voici sa réponse : « Parfaitement désintéressée. Elle ne cède à un type que s'il lui plaît, mais comme tous les types lui plaisent, tu vois ça d'ici... Putain comme chausson, paillasson en diable. Elle a été mon amie dans toute la force d'un véritable amour, et, théoriquement, elle ne m'a jamais demandé un sou pour l'être.

Pratiquement, c'est pire. Elle pilonne. Et comment ! De sorte que cette maîtresse gratuite à laquelle j'ai fait quelques cadeaux m'a coûté plus cher que si je l'avais entretenue. Et je n'ai jamais exercé les droits du maître de la maison ».

Fauchon s'exprimait sans nuances...

Pour l'instruction du lecteur, pilonner, c'est faire du pilon. Vous déjeunez chez votre amie. C'est elle qui vous a invité. Au moment de se mettre à table, la bonne présente la note de l'électricité, du gaz ou une autre. Votre amie fouille en vain son sac. « Dis, tu serais bien gentil de payer ça...». Et tous les jours ça recommence, qu'il s'agisse du boucher, de l'épicier, des vins Nicolas, de la blanchisseuse... Vous rendez-vous dans un thé ? Vous attendez. Le chasseur vient à vous : « Madame prie Monsieur de bien vouloir payer son taxi ». Voilà la méthode.

Au théâtre, c'est pire. On vous présente la facture des maquillages, des pots de crème Simon, de la poudre

Caron, et vous êtes le dernier des mufles si vous n'y allez pas spontanément d'un flacon de parfum.

Et pendant une promenade, comment l'amie résisterait-elle aux tentations des magasins ? A tout cela, ajoutez les petits coups de mains discrets : « Vingt-cinq louis à droite, mille francs à gauche. L'embêtement à arranger avec le percepteur, l'huissier, la bonne impayée ou qui a avancé douze cents francs pour le ménage courant ».

Voilà les charmes du pilon qui vous transforment en officier payeur entretenant une femme qui prétend vous aimer pour vos beaux yeux et affirme vivre de son travail sans être entretenue.

Je demeure néanmoins sceptique devant cette évocation de Colette faisant du pilon une habitude. Je revois, à cette époque, Colette très simple, désargentée, sachant se priver et vivant beaucoup de son travail.

Willy, qui avait la tradition de l'école polytechnique — la tradition seulement — disait : « L'entretien d'une maîtresse est une progression mathématique, le pilon est en progression géométrique ».

Le départ de Lucien Fauchon coïncide à peu près avec

l'intervention, dans la vie de Colette, d'un personnage infiniment plus important.

Le jeune H..., fils de l'associé de Chauchard aux grands Magasins du Louvre, âgé d'une trentaine d'années, était l'un des êtres les plus séduisants de Paris par son esprit, son éducation parfaite, son élégance mâle et souple d'officier de cavalerie, et les millions qui secondaient la force envoûtante de son charme physique. Son malheur était d'abuser des boissons fortes et de perdre parfois le contrôle de lui-même.

L'homme à peine formé était capricieux, changeant en amitié, absolu en amour. Orphelin, célibataire, il habitait un hôtel imposant, celui-là même où deux ans plus tard devait s'installer la Légation de la République Argentine.

Il y avait là un salon Louis XV signé Riesner aux murs desquels se déployaient deux tapisseries des Gobelins d'après les cartons de Fragonard et qui furent vendues 1.500.000 francs (or) à M. Pierpont-Morgan. Dans ce salon — celui de sa mère — et tel quel, H... avait fait installer un bar américain et engagé à son service particulier Francis, le meilleur barman de Paris, qui plus tard s'enrichit en s'installant au Britannia, rue Caumartin.

Prendre l'apéro devant les tapisseries, deux nus voluptueux de Boucher, vider ses verres et jeter ses mégots sur un tapis de Savonnerie en compagnie de types bizarres, formant une société hétéroclite était tout le plaisir d'H... C'est là que j'ai connu, avec sa maîtresse, la baronne d'Arlix. Pierre Lenoir, fusillé en 1917 pour haute trahison. Mais j'y ai retrouvé Sem, Helleu, Boldini, Jean Guitry, Alfred Savoir et un tas de gens très bien qui, aujourd'hui, nieraient s'y être montrés.

Comment H... connut-il Colette ? Je ne l'ai jamais su. Coulisses de théâtre ? Je ne crois pas, H... n'allait jamais au théâtre. Il disait sans rougir : « C'est toujours idiot et ça m'embête ».

Présenté par un ami ? C'est possible, mais lequel ?

Peut-être Henrot, l'ami de Gabrielle Dorziat. Entre Colette et H... je vois mal le point de rencontre.

Tandis que j'écris, un ami qui a bien connu Colette, et qui n'appartient pas au monde des lettres, m'apporte un éclaircissement. Il me rappelle que H... était devenu l'amant de Polaire, cette bonne Po-po, à laquelle, de temps à autre, Colette avait recours lorsqu'il lui manquait quatre vingt francs pour faire cinq louis. Polaire, pour distraire H... avait un jour retenu Colette à dîner, et Colette, pour marquer sa gratitude à Polaire, lui avait soufflé son ploutocratique béguin (1).

C'est absolument la manière d'agir de Colette. Mais, sans autre élément d'appréciation, je laisse à mon ami la responsabilité de sa version.

L'essentiel est qu'ils se soient rencontrés et que cette rencontre fut, de part et d'autre, un coup de foudre.

J'en suis réduit à faire parler ici un autre témoin, Robert Chassériau, car jamais je n'ai vu Colette avec H..., même à Londres où, comme je l'ai dit, il y avait toutes les chances pour que nous nous rencontrassions.

Chassériau m'a dit : « La présentation de H... à Colette fut une sorte de révélation pour lui. Il abandonna tous ses camarades, toutes ses fantaisies, prêt à consacrer ses forces et sa fortune à l'entreprise de l'aimer, de se faire aimer d'elle et d'assurer son bonheur. Il l'adora fidèlement pendant deux ans au moins. Fut-il heureux? Il se dérobait à toute question, comme buté, dans un mutisme farouche et il avait, c'était clair, le souci de cacher leur vie aux yeux des autres ».

Ce qui est certain, c'est que les vingt ou vingt-quatre mois que dura cette liaison coïncident avec les premiers temps où Colette, guérie de la scène, put se consacrer intégralement à son travail d'écrivain.

Que le lecteur, ici, me permette de changer les personnages et les décors aussi subitement que dans une tragédie shakespearienne.

Il y avait une fois dans le même collège deux jeunes gens qui s'étaient liés d'amitié. L'un s'appelait Henri de Jouvenel. L'autre Anatole Lasserre, qui devait, plus tard, s'appeler Anatole de Monzie.

---

(1) C'est H... qui avait donné à Polaire sa fameuse ceinture de diamants.

Ils étaient également éduqués et également intelligents. Henri n'était point dévoré par l'ambition. Il était sûr du succès de toutes ses entreprises qu'il tenait pour naturel et normal.

Plus laborieux, Anatole méditait ses projets lointains. Il enviait les noms au pouvoir, dénigrait son monde et j'ai toujours été frappé de la ressemblance de son caractère avec celui de Colette. Il était aussi perfide, aussi faux, aussi pervers. Mais il l'était intellectuellement et n'avait pas l'excuse d'un instinct inculte.

Récemment, M. Renaud de Jouvenel, fils d'Henri, que son mariage avec la fille de la veuve de son père a fait plusieurs fois milliardaire, se convertissait avec tapage au communisme en insistant sur ses ancêtres les Croisés et les traditions séculaires de la noblesse de France dont il était l'héritier. Je pense qu'il se trompait naïvement.

Il est plus facile qu'on ne croit de reconnaître l'authenticité de telles prétentions. Il suffit de se rendre soit aux Archives Nationales, soit au Musée du Jeu de Paume de Versailles et d'y voir si vraiment quelqu'un du nom « députa », c'est-à-dire vota, noblement lors de la convocation des Etats Généraux en 1789. Dès lors, rien de plus facile que d'établir la parenté du *députant* et de celui qui fait valoir des prétentions.

J'ai vérifié qu'aucun électeur noble, en 1789, répondant au nom de Jouvenel n'a voté. Le père d'Henri, mon respecté ami, fut fonctionnaire de l'Empire et préfet de la Troisième République sous l'Ordre Moral. S'il existe vraiment une baronnie dont jamais ni Henri, ni Robert de Jouvenel ne se sont prévalus, elle remonte à l'Empire, celui de Napoléon III. Là, je n'ai rien vérifié, la chose étant sans aucun intérêt.

Telles sont les croisades de M. Renaud de Jouvenel. D'autre part, ni Henri, ni Robert, n'héritèrent une fortune. La question de se débrouiller s'est posée pour eux de bonne heure. Ils y sont parvenus avec un peu de chance, beaucoup d'esprit et de talent naturel. Ils l'ont fait l'un et l'autre sans une bassesse, sans une lâcheté, sans rien abdiquer de leur personnalité. La société qu'ils fréquentaient était celle des milieux intellectuels de leur temps.

Plus tard, Robert eut un faible pour les politiciens dont il dut se servir. Il avait une excuse : il préparait *La République des camarades,* bouquin retentissant.

Henri, ministre, ambassadeur, Haut Commissaire de France, comptait quelques amis au Sénat où il siégeait avec détachement. Il n'avait rien d'un politicien. Il ne fut qu'un grand politique et qu'un grand Français.

L'ascendance de Monzie, elle, comporte des lettres de noblesse philosophiques. Si M. Lasserre, père de Monzie, était receveur de l'Enregistrement dans la Dordogne, où naquit Anatole, l'oncle de celui-ci était le célèbre, l'admirable philosophe catholique Lasserre, qui, lui, habitait le Lot.

Henri de Jouvenel possédait, ainsi que son frère Robert, la seule vraie noblesse : celle du coeur. Elle manqua toujours à Monzie. Son charme physique se confondait avec son charme moral pour dégager une ineffable et rayonnante séduction. Nul n'a pu compter logiquement plus d'amis et plus d'attachements féminins qu'Henri, l'être de toutes les nuances dans la loyauté et dans la générosité. Il prolongea ces vertus jusque dans la politique où il ne cessa de travailler à l'avènement chimérique d'une république athénienne faite de la valeur intellectuelle et morale de ceux qui la dirigeaient. Telle s'avérait son illusion.

Anatole, un beau matin, vint réveiller Henri et lui dit : « Dans le nouveau ministère, M. Vallée est garde des Sceaux, ministre de la Justice. Je suis son chef de cabinet. Tu es le directeur du secrétariat particulier du ministre. C'est moi qui ai maquereauté ça. Lève-toi, on nous attend, place Vendôme ».

Chacun des deux brilla dans l'exercice de sa fonction.

Nul ne fut plus étonné qu'Henri de Jouvenel lorsque, trois mois plus tard, il vit M. Buneau-Varilla, directeur du *Matin,* ce qui valait, paraît-il, trois trônes, franchir la porte de son cabinet.

M. Buneau-Varilla parlait en allant droit au but et menait rondement les affaires. Il dit à Jouvenel :

« Vous êtes un garçon intelligent et vous perdez ici votre temps. Le ministère a du plomb dans l'aile. Il sera renversé dans deux mois et Vallée vous laissera le cul dans l'eau. Je vous propose de quitter son cabinet et de devenir rédacteur en chef du

Matin aux appointements de 75.000 francs par an pour débuter. Vous gagnez ici 750 francs par mois dans l'incertitude ».

Jouvenel mit un instant à se persuader qu'il ne rêvait pas. Puis il répondit : « C'est inespéré, Monsieur. Mais comment croire en mon seul mérite ? Qu'attendez-vous encore de moi ? »

— Vous êtes clairvoyant et vous me facilitez les choses. Sachez que je me charge de votre sort. Vous vous marierez...

Jouvenel sursauta. Cette personne passait pour la plus jolie jeune fille de Paris. On racontait qu'elle était la maîtresse du Directeur du *Matin* et qu'il « fallait qu'elle se mariât d'urgence ».

Jouvenel répondit : « Merci, Monsieur. Je ne mange point de ce pain-là ».

— Tant pis pour vous. Enfin, si la réflexion vous fait changer d'avis, écrivez-moi.

Il y avait alors, en province, une élection partielle, M, Vallée avait autorisé Jouvenel à se présenter. Au premier tour, il se trouvait en position favorable. Il rentra à Paris le dimanche soir. Le lundi matin, M. Vallée lui dit : « Félicitations. Vous avez chiquement, dans la bagarre, brandi le drapeau de la République. Il faut en finir par une transaction. La Commission exécutive du Parti Radical vous prie de vous désister en faveur de mon neveu M. Chaumié. Dès lors, son élection se trouve assurée ».

Henri de Jouvenel s'inclina. Seul, il prit la porte, sauta en fiacre et se fit conduire au *Matin* où le reçut M. Buneau-Varilla.

— Cher Monsieur, vous aviez raison. J'ai changé d'avis. J'accepte, mais j'y mets une condition.

— Laquelle ?

— Tous les jours, pendant un an, le *Matin* publiera un article ou une note contre les familles Vallée, Loscombes, Chaumié.

— Accordé! déclara M. Buneau-Varilla en tendant la main.

Telle est l'histoire du premier mariage d'Henri Jouvenel. On sait que le ciel se hâta de bénir cette union. Il y apporta même une certaine précipitation...

Au bout de peu d'années, le mariage aboutit à un divorce et Henri de Jouvenel finit par s'éprendre d'une dame malheureuse en ménage et qui, elle, comptait des Croisés authentiques dans ses ancêtres et dans ceux de son mari.

La comtesse de C... était l'une des beautés de la Société française où la beauté est faite d'élégance et d'esprit. Jouvenel détestait les femmes classiquement belles qui le sont à ce point qu'elles ne vous laissent pas le temps de découvrir leurs charmes.

Le comte de C... souffrait d'une étrange aliénation mentale. Il s'imaginait être un chien. Il parcourait tout nu, à quatre pattes, les locaux où on le confinait, aboyait et levait la patte contre les murs. L'aliénation mentale n'est un cas de rupture ni pour le Code civil, ni pour l'Eglise, ce dont la comtesse de C... se consola, ravie, dans les bras d'Henri de Jouvenel.

Elle habitait, l'été, une belle propriété dans l'aristocratique ville de Compiègne, fief électoral des Fournier Sarlovèze auxquels ont succédé les Rothschild. Sa liaison avec Jouvenel durait depuis deux ans, tendre et heureuse comme au premier jour, lorsque, la veille des Rameaux, la comtesse invita sou ami H... à Compiègne, pour les vacances de Pâques, en le priant de se faire accompagner par Colette, qu'elle avait le vif désir de connaître.

Colette et H... restèrent exactement dix jours à Compiègne. J'ignore tout ce qui s'est passé pendant cette villégiature pascale, sauf que le lendemain de Quasimodo, Colette regagnait Paris dans les bras de Jouvenel, tandis qu'H... demeurait à Compiègne dans ceux de la comtesse de C...

Le libéralisme systématique d'Henri avait été poussé jusqu'au libre échange.

On sait la suite : la naissance d'une fille, le mariage. Colette *barrrorine,* et s'en réclamant autant alors qu'à présent son beau-fils Renaud.

Ce mariage fut-il celui de l'amour ? C'est à peu près certain bien qu'on s'expliquerait seulement cette union de deux êtres aussi dissemblables et pareillement endettés par la loi de l'attraction des contraires.

Ce fut surtout le mariage de la *mouise* et de la *dèche.* La *mouise,* c'est le défaut normal d'argent de ceux qui vivent la vie de bohème. La *dèche,* c'est la pénurie de ceux qui gagnent un million par an et dépensent quinze cent mille francs dans le même laps de temps.

A Colette, la *mouise.* A Jouvenel, la *dèche.*

Pour parer à l'infortune, l'un et l'autre se servirent du *Matin.* Colette y assura sa rubrique quotidienne signée Rosine, et la direction littéraire. Quant à Jouvenel, il devait environ neuf cent mille francs à la caisse de son journal. Et il continua. Persévérer, n'est-ce pas vivre ?

La vie du couple ne fut point balzacienne. Balzac prend ses dettes au tragique. L'honneur ou la mort. Et l'honneur, pour Balzac, c'était payer. L'évolution des hommes a amené à présent les gens à des idées plus saines. Huissiers et créanciers peuvent nuire au confort d'un homme, ils peuvent lui faire des frais, saisir ses biens. Ils ne peuvent plus l'emprisonner.

Jouvenel était d'un naturel prodigue et Colette travaillait autant que lui. Elle prenait largement sa part du ménage, et celui-ci, tant bien que mal, pouvait subsister. Le malheur est qu'il y avait des fuites. Ces fuites restaient difficiles à admettre venant de Colette qui, à défaut de l'art de compter, a toujours eu celui de serrer les cordons de sa bourse.

Comme mari, Jouvenel fut parfait. Lorsqu'il se présenta au Sénat, dans la Corrèze, ses antagonistes — il n'eut jamais un ennemi, sauf Marcel Hutin, de *l'Echo de Paris* — répandirent le bruit qu'il avait épousé une danseuse. Pour toute réponse, pendant qu'il affrontait les délégués sénatoriaux à Brives et ailleurs, Jouvenel se fit accompagner de Colette. Un préfet hostile fut contraint, publiquement, à l'amabilité rampante, chapeau bas (1).

Elu sénateur, Jouvenel fut prié, par Poincaré, de venir dîner à l'Elysée. Il répondit qu'il verrait volontiers le président de la République mais qu'il dînait tous les soirs avec Mme de Jouvenel. Poincaré s'empressa d'inviter Colette. Jouvenel n'avait pas que le courage de sa dignité. Il avait le courage de sa femme. Tant que

(1) « Il prêta même sa voiture aux Jouvenel pour leur tournée dans le pays et me mit à leur disposition pour les accompagner partout où ils le voudraient ». C'est ce que me précisa Guy de Cézaricourt, ancien chef de Cabinet du préfet de la Corrèze.

Colette fut son épouse, elle fut respectée et invitée.

Je ne sais rien de la vie intime du ménage. J'ignore si Colette fut longtemps ou non la maîtresse de son mari. Je sais qu'elle fut sa femme, sa conjointe dans le sens le plus intégral du mot.

Le drame du divorce serait délicat à évoquer si Colette ne l'avait décrit avec trop de détails dans *Chéri*. Léa c'est Colette et Chéri, c'est Hyppolyte.

Racine nous exhibe Phèdre tourmentée par un amour coupable qui n'est pas de l'inceste. Il n'y a aucune consanguinité entre Phèdre et Hippolyte. Celui-ci n'est qu'un fils du premier mariage de son mari. Et c'est parce qu'elle se sent amoureuse de ce beau-fils que Phèdre sombre dans les catastrophes. Rien, absolument rien, n'est consommé.

Boulevard Suchet, c'est une autre paire de manches et qui explique les fuites de numéraire dont Jouvenel s'était trop vaguement aperçu.

Il n'a d'ailleurs cédé qu'à l'évidence, qu'à ce dont il fut subitement et fortuitement le témoin oculaire et auriculaire.

Rien ne pouvait empêcher la séparation. Il ne fut question que d'éviter le scandale.

Logiquement, ce divorce, qui n'était qu'une affaire de moeurs, devait se plaider à huit clos, il soulevait peut-être des difficultés d'ordre juridique assez cocasses. Arguties savoureuses à plaider.

Colette s'adressa à deux avocats importants dont l'amitié pour son mari explique le refus. C'est alors qu'on apprit avec stupéfaction totale qu'Anatole de Monzie, qui persistait à s'affirmer le plus ancien, le meilleur ami de Jouvenel, acceptait de se charger des intérêts de Colette.

De son intervention, Anatole de Monzie s'est justifié en ma présence vis-à-vis d'autres de ses amis. Le secret de ce grand juriste était de ne jamais plaider, ou de ne plaider qu'à coup sûr, là où sa lourde influence de politicien pouvait s'abattre sur les épaules de magistrats plutôt affaissés.

Dans le premier procès d'Almereyda, en 1916, relatif à ce voyage de Barcelone où l'anarchiste eut ses premiers entretiens avec les mandataires de l'ennemi, Anatole de Monzie, plaidant devant le conseil de guerre, ne craignit pas de dire : « Sans vouloir entrer dans les discussions de détail touchant à divers épisodes de ce voyage, et dont votre tribunal a le juste souci de ne vouloir révéler les dessous en public, j'affirme ici que, comme personnalité politique, j'approuve l'action d'Aimereyda à Barcelone et que, comme ministre, je l'aurais couverte ».

Une autre fois, plaidant devant la Cour d'appel pour la Standard Oil, Monzie déclarait sans vergogne :

« Le rôle de la Cour est d'abord de tenir compte de l'intention du législateur. Comme ministre des Travaux publics, j'ai demandé à la tribune du parlement le vote de cette loi. Je suis donc qualifié pour vous préciser ce que nous attendions des textes que vous allez appliquer ».

Je ne pense pas que l'on ait vu plus belle intervention de la politique dans l'exercice de la justice rendue par des domestiques stylés.

Mais plaider fut toujours, pour Monzie, un sport exceptionnel. Sa virtuosité se faisait mieux sentir dans ces transactions particulières qui permettent toutes les trahisons et tous les chantages.

Habile dans ce travail, il espérait, dans le divorce de Colette, éviter à Jouvenel le scandale qu'il redoutait et que Colette, je le pense, recherchait par pure méchanceté. Chacun sait qu'elle a toujours ignoré ce qu'est la gratitude. Sa seule pensée en l'occurrence était de continuer à faire du mal à un époux qui fut toujours parfait pour elle et dont elle ne comprenait ni la désillusion ni le chagrin. Elle ne concevait que difficilement les raisons de son mécontentement. « N'était-ce encore avoir rendu service à Henrrri, devait-elle dire plus tard, que de me charger moi-même de parrrfairrr cette éducation ? Je savais cette ignorrrance des filles et des sottises qu'elles entrrraînent ».

Colette a dit cela à Monzie, et Monzie affirmait en avoir ri.

La menace de ce scandale qui résulterait fatalement d'un procès plaidé devenait, dans les négociations transactionnelles, le seul argument en faveur de Colette que dossier du divorce comportait.

Aux yeux de Jouvenel, Monzie se posait comme lui rendant un service signalé. Aux yeux de Colette, Monzie s'avérait une sorte de sauveur. Il a toujours soutenu que c'était pour être utile à Jouvenel qu'il avait accepté d'être le défenseur de son épouse dans un scandaleux procès de divorce, et il le soutenait assez fermement pour être cru.

L'important est que, de ce jour, Colette et Monzie ont partie liée. Ont-ils été amant et maîtresse ? Je ne le pense pas. Monzie, laid, spirituel, diabolique, à travers beaucoup de femmes, n'a jamais eu qu'une vie sentimentale assez pauvre. Il était, comme Pierre Laval, comme M. Flandin, de cette race de politiciens au coeur sec, fertiles en affaires personnelles, et qui ne réussissent à s'attacher personne, à ne susciter en leur faveur nul de ces dévouements qui sont l'honneur de la carrière d'un Viviani, d'un Clemenceau, d'un Aristide Briand.

Né pour le projet, la duplicité, la trahison et le profit personnel, Monzie n'a jamais eu pour armes que la perfidie et le plus absolu mépris de toute moralité. Il discutait la parole donnée. Il était de ces Français trop nombreux qui tiennent volontiers un engagement à la condition que nul avocat, avoué, notaire ne lui ait fourni le moyen juridique de s'en dispenser. Cette mauvaise foi, ce cynisme, cette intelligence qui était trop réelle et qu'il aimait à faire proclamer supérieure, s'alliaient à une méchanceté foncière spéciale, celle d'être méchant et faux comme un jeton pontifical, pour le simple plaisir de l'être.

A cette époque, Monzie avait eu l'honneur et la chance imméritée de la seule véritable et sincère affection qu'il trouva dans ce bain de bile, de salive et d'or que fut sa vie.

Issue de la sombre Bourgogne, Mme D... était fausse maigre, grande, souple, d'une dégaine toute d'élégance et d'harmonie. Sa blondeur dégageait autour d'elle comme une auréole chaude. De beaux yeux bleus et calmes semblaient refléter l'impossibilité ironique du ciel infini. Des traits réguliers accentuaient sa distinction. Elle souriait à peine, un accident d'automobile l'ayant très légèrement défigurée, ce qui ne se voyait que si elle souriait. Cette beauté radieuse cachait un grand coeur, une belle âme et une intelligence pénétrante adaptée à toutes les formes du travail intellectuel.

Mme D... avait aimé Monzie comme savent le faire les êtres de sa trempe. Non contente de lui offrir la noblesse et la ferveur de son amour, elle s'était dévouée à ses affaires qu'elle savait mieux que lui, et qu'elle traitait toujours avantageusement.

Férue de son grand homme, en femme de tact, elle s'était aperçue qu'il était entouré de parasites et d'ambitieux, de petites canailles, de prétentieux médiocres, qu'il servait avec cette idée hypocrite de pouvoir s'en servir un jour.

Elle avait entrepris de réformer ce milieux fâcheux et d'acclimater son amant dans un milieu avouable où il lui serait pourtant possible de fumer sa pipe et de coiffer sa calvitie pointue du béret basque. Là se limitaient ses soucis.

Cette femme tutélaire et splendide demeure la parure idéale de l'existence de Monzie, rongée par de basses cupidités. Je l'avais surnommée justement « les poches pleines et les mains vides ».

Une grande amitié était née entre Mme D... et moi à l'occasion d'un procès dont j'avais chargé Monzie. Je l'avais autorisé à transiger. Il le fit pour des haricots en vendant mes intérêts et les pièces compromettantes de mon dossier au ministère des Finances, notre adversaire. J'étais pour un tiers ruiné. Le hasard — cette forme laïque de la Providence — fit que je rencontrai le ministre, et que ce ministre fût le plus honnête homme du monde. Il examina lui-même mon affaire, saisit l'abus de pouvoir dont j'étais victime et me désintéressa.

Ce ministre, unique dans son genre, s'appelait François Piétri.

Averti par l'administration de ma victoire sur elle, Monzie me reprocha, comme une incorrection, d'avoir traité sans lui. Je ne craignis point de lui dire que je n'avais nulle envie d'être trahi deux fois. Il y avait de quoi le faire rayer du barreau...

Mme D..., sachant que j'étais armé pour démasquer Monzie, s'entremit auprès de moi pour me supplier de n'en rien faire. Elle fut si habile, si éloquente, si pressante, que je lui donnai satisfaction détruisant devant elle des papiers embêtants (1).

Je lui dis : « Madame, vous êtes tout simplement émouvante et si je me laisse convaincre ce n'est nullement pour Monzie qui n'y trouvera qu'une possibilité nouvelle de me nuire en pleine sécurité. C'est uniquement un hommage qu'il me plaît respectueusement de vous rendre.

Ces paroles allèrent droit au coeur de Mme D... Elle me tendit sa belle main qui tremblait un peu et me dit : « Merci, n'oubliez pas que, désormais, nous sommes amis ».

Nous le fûmes toujours dans le sens absolu du mot. Cette femme admirable, la seule qui l'ait vraiment aimé Monzie la fit stupidement souffrir. Il était surtout travaillé par Colette dont Mme D... n'avait aucune raison d'être jalouse. Mais les deux femmes se détestaient. L'éducation, la distinction, l'érudition de l'une se heurtaient à la trivialité endémique de l'autre et c'était cette vulgarité qui faisait les délices d'Anatole de Monzie.

Il s'acheminait alors à grands pas vers ce ministère de l'Education nationale qu'il devait détenir pendant trois ans.

Monzie, à l'époque où je le connus, avait une qualité qui se retrouvait chez Henni de Jouvenel. Il professait une parfaite indifférence pour toutes les formes officielles de l'art et des lettres, et l'estime qu'il me réservait, dont il me donna des preuves avant de se livrer sur moi à la tentative de brigandage que j'ai contée, provenait, si j'en crois Mme D... et Jouvenel, de ma réputation d'écrivain irréductiblement libre. Je dînai chez lui un soir avec Mme D... et un avocat, conseiller municipal de Paris, Lionel Nastorg.

Monzie, à force de questions, me fit passer un véritable examen.

Il me dit : « Telle place est vacante au Comité de la Propagande. Demandez-la à Jouvenel. Il a de l'amitié pour vous ».

Ma réponse : « C'est précisément parce que M. de Jouvenel est mon ami que je ne lui demanderai jamais rien ».

Monzie me regarda avec des yeux étonnés : « Vous en êtes encore là, vous ? ».

(1) Il s'agissait de ma signature imitée au bas d'une formule d'autorisation qui légitimait l'acte spoliateur du ministère des finances. Ces faux, commis par l'administration, me permettaient une plainte et embêtaient le service intéressé dont Monzie, à trop bon compte, croyait avoir sauvé l'honneur.

Monzie avait des idées. Souvent elles étaient heureuses. Il estimait que l'Etat ne doit aux lettres que la liberté, mais que les écrivains libres sont isolés et que cet isolement est pour eux cause de faiblesse. Il cherchait un moyen de les rapprocher sans leur demander de concessions d'aucune sorte, et de créer, par ce rapprochement, une vie intellectuelle dans un foyer digne de Paris.

A sa prière, j'établis un projet dont je lui avais parlé et qui avait eu le don de lui plaire : tenir pour professionnel tout auteur admis comme sociétaire des *Auteurs dramatiques* ou *Membre titulaire des Gens de lettres* et créer à leur usage un club, selon la formule anglaise, où ils trouveraient un bar, un restaurant, une bibliothèque, les journaux et revues, des jeux, en un mot tout le confort nécessaire à. des réunions, à des rendez-vous, à des réceptions.

Je voyais juste. S'il est souhaitable que les écrivains aient une vie commune susceptible de rehausser l'éclat de leur profession, il faut que ce soit en marge de cette profession elle-même. La *Société des Gens de lettres,* dont l'un des buts est de resserrer les relations entre les membres d~e la grande famille des lettres — ce sont les mots d'Edouard Estaunié, président la S. G. L. — ne s'y est jamais employée.

Elle a plutôt combattu toutes initiatives, par souci de prestige de son comité composé souvent d'illustres inconnus, ambitieux et qui ont du temps à perdre, ce qui n'est pas le cas de ceux qui produisent (1).

L'idée plut à Mme D... Monzie en parla à divers écrivains et l'adopta. Ce projet fut complètement déchiré par Colette. Mme D... me dit « Colette est néfaste. Elle travaille pour accaparer

(1) Le fléau du plus beau métier du monde, de notre corporation libre, c'est la rivalité, la haine sourde, l'envie, la diffamation qui font de la confraternité une « haine vigilante ». Les écrivains s'entre-déchirent parce qu'ils ne se connaissent pas. Unis, ils feraient la première force morale de la France. Leurs divisions ont été mises à profit par le gouvernement qui craint une telle force morale. La direction des lettres exerce, avec ses fonctionnaires, souvent des écrivains, et ses décorations, une action néfaste qui est l'une des causes désastreuses de notre décadence littéraire. Les écrivains, eux, s'entendront, s'uniront, et réagiront le jour où ils se connaîtront mieux entre eux. Ils formeront cette force morale, dès lors, dont la République ne veut pas et que la politique craint.

l'influence de Monzie au profit d'un petit syndicat d'amis, les pousser, exclure les autres. Elle a déjà l'exclusive sur les meilleurs d'entre vous et n'est pas prête à s'arrêter en si bon chemin. Monzie la rencontre à peu près tous les jours, aussitôt noyé dans un vertige de ragots répugnants et il prend son plaisir ».

Je n'avais demandé qu'une chose à Monzie, et elle n'était pas pour moi : la Conservation bientôt vacante du Musée du Luxembourg pour mon ami André Salmon qui ignorait tout de ma démarche. C'était l'homme rêvé à la place qui lui revient et qu'il mérite. Et nous étions unanimes à la demander pour le premier critique d'art de notre temps.

C'est à Colette que Salmon doit l'échec de sa candidature, et aussi, je pense à Mme Lapauze, non encore remariée à un ancien secrétaire de Monzie et qui voulait la place. Elle s'y était introduite en qualité d'attachée. Colette forma son bataillon sacré ; elle d'abord, comme de juste, Francis Carco, Roland Dorgelès, Pierre Benoit et leurs créatures. Ce fut une poussée dont le nouveau ministre se tira par son habituelle soupape d'échappement; une promotion dans la Légion d'honneur. Ça ne coûte rien et cela fait toujours plaisir.

Mme D... me convoqua. Elle me dit : « Votre ami Salmon n'aura pas le Luxembourg. Mais il sera officier de la Légion d'honneur ».

— Bravo, dis-je, voilà qui crée à ce forçat du journalisme une ressource, de plus. Un macaron qui ne se mange même pas.

— Voulez-vous bien vous taire, mon cher ami. Je suis chargée de vous annoncer qu'on constitue votre dossier en ce moment. Vous aussi vous êtes compris dans la promotion. Vous acceptez, naturellement ?

— Madame, chez M. Clemenceau, ailleurs, j'ai donné du ruban rouge. Je n'ai jamais songé à moi ! J'aurais pu savourer les délices de cet onanisme.

— Mon cher ami, vous pendez la tête. Songez à votre avenir.

— Précisément, Madame. C'est en envisageant l'avenir que je me sens lié à mon passé. Et c'est fort de mon passé que je refuse. Remerciez Monzie. Dites-lui que la seule chose que j'accepterais de lui, c'est de l'argent, beaucoup d'argent, pour fumer de bons cigares, offrir des dîners fins à d'aimables filles.

— Vous êtes sot...

— Non, Madame. Si votre ministre veut m'honorer gratuitement, qu'il me gratifie d'une distinction unique, quelque chose que ne porte personne et qu'aucun autre que moi ne portera. Tenez, dites donc à Monzie de m'offrir une pipe d'honneur. Il y a des décorés qui m'envieront ma pipe.

Mme D... se mit à rire et me jeta :

— Vous serez toujours le même. Vous êtes incorrigible.

Le lendemain, ma concierge me remit un paquet déposé en mon absence. Le paquet contenant un mot charmant de Mme D... et une pipe à laquelle elle avait noué un ruban rouge.

Mme D... me disait : « de la part de Monzie... ». Je n'en ai rien cru. Monzie, fumeur perpétuel de pipes, les connaissait. Il n'aurait jamais choisi celle-ci, de qualité très ordinaire. Une pipe de bureau de tabac.

Je répondis à Mme D... que je regrettais que la pipe vînt de Monzie. Que pour être vraiment une pipe d'honneur il eût fallu qu'elle vînt d'elle et que ce que ce souvenir avait pour moi de plus précieux, c'était qu'il m'évoquait son intervention. Enfin, je ne tenais pas Monzie quitte pour une bouffarde !

Trois jours plus tard, je dus me rendre aux Editions Flammarion. M. Fischer avait installé sa direction littéraire rue de Rivoli, à son domicile personnel qui, je crois, prenait de faux airs de bureau. Sous les arcades de la rue de Rivoli, je rencontrai Mme Colette. Elle s'arrêta, hargneuse : « Qu'est-ce que ça signifie ? On veut vous fairrre du bien et c'est vous qui vous dérrrobez ».

Je me trouvais toujours troublé en abordant Mme Colette, de peur de la tutoyer. Mme Colette Willy avait institué cette familiarité entre nous. La baronne de Jouvenel l'avait dénoncée. Actuellement, Colette, qui n'était plus Willy, ni Jouvenel, incertaine encore de son nom, me laissait incertain du traitement familier dont je lui étais redevable. Je ne savais plus comment lui parler.

Ce ne fut qu'après que je l'eusse écoutée me sortant dans le vague les pires déclamations, que je compris que le bien qu'on me voulait se traduisait par un bout de ruban rouge et que, pour me l'attribuer, Monzie aurait été l'instrument passif de Colette. Elle voulait m'hypothéquer ?

Je regardai l'auteur des *Vrilles de la Vigne*. Et je devinai en Colette, sans me rendre compte de quoi, quelque chose d'infiniment triste et douloureux. Je ne sais ni comment ni pourquoi, mais jamais je ne reviendrai sur cette impression si pénible dont rien, absolument rien, ne pouvait expliquer l'origine.

Je répondis à Colette que je ne doutais point des meilleures intentions de son ministre pour les gens de notre profession mais que Mécène et Pétrone, Auguste et Tibère, s'étaient attachés les poètes et les grammairiens, les philosophes, les historiens avec des liens plus solides qu'en flattant leur vanité.

Elle me répondit que j'étais bien resté le gigolo d'avant-guerre et que cela ne me mènerait à rien.

Je quittai Colette sans attribuer la moindre importance à ce qu'elle m'avait dit. Mais je me demandai la raison de l'hostilité qui fusait, non de ses paroles, mais de la façon dont elle me parlait. Et je raisonnai quelques minutes autour de cette malveillance inattendue.

Colette, en proie alors, je l'ai su plus tard, à d'autres difficultés que celles de son divorce que Monzie avait réussi à noyer dans la plus parfaite discrétion, cherchait à gagner de l'argent. Nous l'avions déjà vue à la tête d'un institut de beauté, de coiffure, de maquillage, par la grâce et la puissance financière de M. Léon Bailby. L'affaire était liquidée, mais avec quelles pertes ?

En outre, Colette vieillissait. Elle affirmait déjà comme certaine cette obésité redoutable qui devait la transformer en une pièce de boucherie immobile, rance et gluante. Tout cela influençait évidemment le moral.

L'ambition seule n'avait point vieilli. Il n'est pas d'ambition sans envie. Certains de mes livres : la *Messe des Oiseaux,* les *Buveuses de Phosphore, Une femme singulière,* m'avaient rapporté pas mal d'argent, et ce sont là des choses que Colette, familiarisée avec la *mouise,* ne pardonnait à personne.

Il m'arrivait de dîner avec Mme D...

Après des journées surchargées de travail, Mme D... cherchait parfois une distraction, et, en tout bien tout honneur, je me permettais de la lui offrir, sa compagnie me faisant plus qu'un plaisir. Elle me charmait. L'amitié entre un homme et une femme se rencontre. Elle cache toujours, et le plus souvent chez l'homme, un coeur déçu. Cette déception est forcément secrète et, par là même, la présence de l'amie est un enchantement.

Distraire Mme D... n'était pas un problème compliqué. Elle n'aimait ni le théâtre ni le cinéma. Elle n'aimait guère non plus la présence des femmes. En revanche, elle était gourmande, séchait une bouteille de chambertin allégrement, en Bourguignonne, et adorait la conversation.

Je lui disais — trop rarement — « Allons dîner ! ». Elle me répondait : « En garçons, bien entendu ? D'accord ». Et elle était ravie.

Ce soir-là, mise, en verve par l'excellence du menu, elle me rapporta des choses assez ahurissantes. Colette, dans l'histoire de la Troisième République, avait conçu de remplacer Mme de Noailles. On sait la fin d e cette poétesse qui s'érigeait en Sultane conseillère du ministre Painlevé, incapable de lui refuser quelque chose. Mme de Noailles décorait, encourageait, subventionnait des artistes et des poètes. Il était à peu près impossible, sans son recours, d'obtenir quelque chose.

Mais il faut reconnaître que Mme de Noailles exerçait son influence de manière intelligente, tolérante, bienfaisante, que ses choix témoignaient de plus de mesure que ses poèmes et allaient droit au talent.

Colette avait entrepris d'être la Noailles de Monzie, vissé à son fauteuil ministériel, et elle le harcelait jusque dans les bureaux du ministère de l'Instruction publique. Mais elle apportait dans son apostolat un tel zèle que Monzie commençait à en avoir assez. Il songeait à se débarrasser d'elle, quitte à la pourvoir.

Colette manifestait des exigences de favorite et Monzie renâclait.

— C'est drôle, dis-je, mais c'était inévitable. Le mieux est de laisser évoluer la situation vers une brouille rapide. Vous en serez débarrassé, vous aussi, de cette cliente encombrante.

Ce fut exactement ce qui se produisit. Monzie, d'ailleurs, ne se délivra point gratuitement. Il y fut d'une allocation de trente mille francs, deux fois renouvelable, sur la répartition des crédits d'encouragement aux arts, aux lettres, aux sciences. Cela s'appelle des indemnités littéraires. En vérité, Monzie aurait pu songer à s'indemniser lui-même.

Et le temps passa sans que je n'eusse plus ni un contact ni une nouvelle directe de Colette. J'ajouterai que je m'en passai fort bien.

Un beau jour, Edgar Malfère, dont j'étais le conseil littéraire, me remit un manuscrit en me disant : « C'est recommandé par Anatole de Monzie. On nous donne, à peu près, l'ordre de publier cela ».

Je haussai les épaules et Malfère ajouta que l'ordre ne tirait pas à conséquences. Il s'en étonnait, ne connaissant pas le ministre et n'ayant rien à lui demander. Malfère était l'homme le plus indépendant du monde et cela jusqu'à la naïveté.

Il s'agissait du livre consacré par Mme Claude Chauvière à la glorification de Colette. Très honnêtement, je conclus à sa publication, même sans l'ordre de Monzie. Et c'est à l'occasion de cette publication que nous reçûmes un jour la visite de l'auteur et de celle à qui son ouvrage était consacré.

L'auteur était une curieuse petite créature, assez insaisissable, d'une prétention naïve, tenant de la chatte persane et de l'*Ophélie* de Bastien Lepage. Elle bafouilla quelques mots, sensiblement préparés, mal appris, et Colette vint à la rescousse avec infiniment plus d'habileté. Je l'écoutai vaguement dans son éloge vibrant de la chatte angora, mais les yeux fixés sur celle-ci, et je compris lentement la nature de leurs relations.

Il est des choses dont on a l'intuition sans les savoir au juste et que les sens confirment dans leur certitude occulte.

L'entretien terminé, Colette sourit et me dit : « Si j'avais su que c'était vous qui régniez ici, je n'aurais pas fait intervenir M. de Monzie ».

Claude Chauvière avait d'ailleurs du talent, surtout celui d'expliquer toutes choses d'après sa sensibilité exacerbée et maladive. Ceci constitue un charme à part que j'avais repéré chez l'écrivain belge André Baillon, celui-la même que Colette alla visiter si peu, si publicitairement, à la Salpétrière.

Edgar Malfère a, peu après, publié un roman de Claude Chauvière qui n'obtint qu'une vente en dessous de la moyenne. Colette avait promis de la réclame, des articles signés d'elle. Elle n'en fit rien.

Je ne réentendis parler de Colette qu'après la mort de Willy. Ce décès, après la retraite à laquelle Willy se trouvait condamné par l'hémiplégie, le tira de l'oubli, ce premier linceul des morts.

Je ne crois pas qu'Anatole France ou Jules Lemaître aient obtenu une presse nécrologique plus importante que la sienne. Et, connaissant la presse, je n'ai jamais compris comment se produisit ce retentissement à retardement.

J'ai fait part de l'étonnement de Madeleine de Swarte et du mien à M. Louis Barthou, le ministre, l'académicien, le sage, grand ami de Willy et qui, jusqu'à sa mort tragique, fut fidèle au souvenir de cette amitié. M. Barthou me confia : «Willy est un écrivain dont le dernier mot ne sera dit que bien après sa mort. Mais il faut aussi tenir compte de ce que c'est toute une époque, une époque regrettée et brillante, que Willy entraîne dans sa tombe ».

C'est si vrai qu'Albin Michel réédita, sans perdre un instant, l'oeuvre de Willy à bon marché, avec un succès considérable.

En même temps, Colette, sans courage, commença à fleurir la tombe de son ancien mari d'injures et de rancunes.

Cette première campagne n'était destinée qu'à préparer le succès de ce livre des souvenirs, qui n'est qu'un pamphlet, et qu'on n'osa publier chez l'éditeur Ferenczi que huit ans plus tard.

L'attitude de Colette amusa quelques-uns et fut jugée sévèrement par d'autres. La réponse lui fut apportée par le succès de la vente de l'oeuvre de Willy dans la réédition populaire d'Albin Michel. Des gens sérieux, par exemple Henni de Régnier, m'ont demandé si Colette n'avait pas été payée par l'éditeur de Willy pour ce singulier lancement. (Insinuations ironiques).

Ce qui est certain, c'est que nous avions en main de quoi répondre à Colette. Nous pouvions produire les liasses de ses lettres, auxquelles j'ai déjà fait allusion, des manuscrits originaux de livres contestés, bien d'autres documents encore.

Ce qui est non moins certain, c'est que Colette a toujours eu peur d'une réponse, qu'elle commença « à cracher dans la fontaine où elle avait tout bu » le jour où Willy, terrassé par la congestion cérébrale, ne lui semblait plus capable de répondre, et que, pour laisser libre cours à son odieuse colère, Colette a attendu la mort de Willy.

Contrairement à ce que s'imaginait Colette, Willy, paralysé, était demeuré en possession de tous ses moyens.

Il lisait toute la journée, annotait ses lectures, s'avérait capable de travailler encore. Il recevait ses amis, et souvent deux de ses anciens secrétaires Pierre Varenne et Henry Mercadier (Henri de Madaillan).

Comme Madeleine, comme moi, comme le fidèle Alfred Vallette, Varenne et Mercadier suppliaient Willy de remettre une fois pour toutes, victorieusement comme il le pouvait, les choses au point. Willy refusa : « Moi vivant, je ne répondrai pas. Et surtout qu'aucun d'entre vous, que personne ne se donne la peine de répondre à ma place. Voilà qui ferait trop de plaisir à la dame ! Elle cherche la polémique. Elle a ses insultes, ses déclamations toutes prêtes, Je ne donne pas dans ce panneau publicitaire ».

La rage de Colette se compliqua d'une polémique rentrée. L'auteur de *Chéri*, huit ans durant, a souffert de ce mal-là. Ce n'est qu'après le décès de Willy que Colette pensa pouvoir baver. Ceci ne lui a pas porté bonheur.

En 1927 ou 28, j'ai le souvenir d'un déjeuner avec Léon Deffoux. Cet ami, si loyal, ne détestait pas la stratégie littéraire, et c'est par là que, chez lui, l'écrivain se trouvait trahi par le journaliste.

Il me dit : « Que penseriez-vous d'une opération *(sic)* qui remettrait Willy à la place qui lui est due ? Colette commence à nous embêter. Je suis d'accord avec Eugène Marsan, avec Fagus, avec Pierre Varenne, avec Thérive. On pourrait faire une campagne d'échos et chacun un article ».

Je répondis à Deffoux : « L'idée est amusante. Les papiers publiés feront du bruit, c'est certain. Mais je ne vois pas qu'aux yeux des lettrés sincères qui, seuls, comptent en l'occurrence, Willy soit déchu du piédestal qui lui était réservé. Willy a fait le plaisir d'une époque que la nôtre ferait bien de poursuivre. A mon avis, il demeure le maître écrivain de pages étonnantes, mais sa manière d'écrire est démodée. On ne peut pas être et avoir été. D'autre part, je ne vois pas en quoi les succès et les insuccès de Colette sont de nature à nuire à la situation de Willy. Où trouver une incompatibilité ? Si Colette s'avère un fléau, elle le doit non à son talent, mais à son caractère. Notre métier, pour elle, c'est l'école de la diffamation. Vous n'empêcherez ni sa hargne ni ses ragots. Le mieux est de la laisser en paix ». Quelques articles de cette campagne imaginée par Deffoux parurent. Il y en eut deux ou trois de Fagus dans le *Divan*. Il y en eut dans *l'Action Française* sous formes de notes et d'échos. Encore... Je n'éprouvai nul besoin de m'en mêler. Willy, lointain, souriait, affectant l'indifférence.

C'est, je crois, Francis Carco, toujours à la remorque de Colette, qui mit fin aux articles de Fagus dans le *Divan*. Admirable poète, Fagus travaillait lentement. Il élaborait le moindre article comme un poème, longtemps avant de le publier. Il possédait dans ses cartons plusieurs articles Willy-Colette. Ils lui restèrent pour compte. Toutes démarches aux fins de publication s'avéraient stériles. Fagus m'a fait lire ces papiers. Ils étaient justes dans leur rosserie incisive, et parfois drôles.

Je ne voyais plus du tout Colette en cette période de ma vie ni ne cherchais à la revoir. Deffoux la rencontrait assez souvent. Nous parlâmes d'elle un jour et j'ai noté ces paroles de Deffoux : « Elle est furieuse de l'attachement que conservent pour Willy ceux d'entre nous dont elle admire le talent et dont elle voudrait l'amitié ».

Je reproduis textuellement ces mots. Je vois bien Colette furieuse de tout attachement, de toute fidélité. C'est la mentalité des diffamatrices, des félines prêtes toujours à trahir. Mais je ne puis concevoir Colette admirant un talent. Quant à l'envier, c'est une autre paire de manches ! Enfin, que Colette souhaite une amitié, c'est possible, mais rien que dans le but d'en défaire une autre.

Je l'ai déjà dit : il n'y a pas là de méchanceté calculée, voulue. Il ne faut y voir que cette perversité d'instinct, dominante souvent chez les êtres de sexualité compliquée et aux réactions obscures.

L'hystérie, c'est le travail non coordonné de centres nerveux. Le mal que j'essaie de définir en n'y parvenant qu'à moitié, c'est le travail direct de l'instinct déchaîné sans les lumières ni le contrôle de l'intelligence.

Il est hors de doute que Colette ait été conquise par le charme étrange de Claude Chauvière. Il est strictement historique qu'elle l'abandonna, le jour où elle estima ne plus rien pouvoir en tirer, lasse du plaisir spécial qu'elle prenait d'elle et lui rendait.

J'ai retrouvé peu après la publication de son livre chez Malfère, dans mon quartier, à deux pas de chez moi, cette troublante chatte persane dont je ne savais rien encore le jour où elle vint me voir chez Malfère accompagnée de Colette.

Claude Chauvière était l'épouse de Georges Lefèvre, l'un des journalistes français qui ont installé la haute information dans la presse française et lui ont assuré la vogue que l'on sait. Les grands reportages de globe-trotter de Lefèvre valaient ceux d'Edouard Helsey et d'Albert Londres.

Lors de la publication du livre de Claude Chauvière par Colette, le ménage de Claude Chauvière se disloquait. Le domicile des Lefèvre était rue Rosa Bonheur, au-dessus d'une crémerie. L'appartement leur fut cédé par Jules Berry qui, lui, y avait liquidé l'un de ses nombreux ménages. Je crois que, pour le divorce, ce charmant camarade a battu, dans le nombre, le record de Sacha Guitry.

Les amis de Lefèvre racontaient qu'il se plaignait de l'emprise quasi-totale que Colette exerçait sur sa femme. Les amis de Claude Chauvière clabaudaient à leur tour. Lefèvre avait conquis le coeur d'une veuve mûre et très riche, mère de quatre enfants.

J'en ai déduit, peut-être à tort, que Claude Chauvière, envoûtée par Colette, avait sottement, comme elles le font toujours, sacrifié son mari à un caprice passager qu'elle pensait être durable. Elle ignorait que rien n'est plus changeant que le vent qui souffle sur les rives de Lesbos et que rien ne varie davantage que les rythmes des poèmes de Sapho... Abandonnée par Colette, Claude Chauvière se reprit, mais trop tard pour reprendre un mari qui n'était plus à reconquérir.

Nul doute que Colette n'ait d'ailleurs rien épargné pour accentuer cette situation à moins qu'elle n'ait provoqué le naufrage que l'étournelle ne prévoyait même pas. Certaines oeuvres, sans nom d'auteur, sont tout de même signées.

Un jour, dans une auto de grand luxe, une dame vint chercher Lefèvre à son domicile. Il monta en voiture avec ses valises et le véhicule prit la fuite en quatrième vitesse tandis qu'éplorée, impuissante, Claude Chauvière se pâmait dans les bras d'une femme de chambre, pâle elle-même d'émotion.

Ceux qui croient que j'écris un roman liront celui de Claude Chauvière *On m'a volé mon amour.* Elle y transcrit, scrupuleusement, toute son aventure, sans en omettre un détail. En outre, faite à l'école de Colette, elle s'y donne, de toute évidence, le beau rôle.

Il n'y a que dans les ruines de Gomorrhe que l'on se familiarise avec l'éloquence des plaintes des victimes. J'emploie le mot victime dans le sens que lui accorde Baudelaire dans son poème célèbre, en même temps que dans son sens strict. Il est clair, côté dames, que ni Willy, ni Jouvenel, ni Lefèvre n'ont, un instant, eu le toupet de se poser en victimes.

La sensibilité saphique est une sensibilité à part qui s'explique du fait que, pour ces dames, l'homme n'est qu'une sorte de portefaix. A lui le poids des dépenses, des humiliations, des charges diverses ! Plus il est encombré, plus il est bafouable. J'ai d'ailleurs remarqué, à l'égard de la femme, mais masquées sous une politesse et des délicatesses averties, les mêmes dispositions foncières chez les uraniens. Ils ont l'hypocrisie en plus et la passion en moins.

On m'objectera que Colette est amphibie et que Claude Chauvière est une normale, un moment égarée par hypersensibilité. Qu'importe ? Deux femmes de ce genre, l'une livrée à l'autre, nous offrent une crise de lesbianisme dominant.

Claude Chauvière, abandonnée par Colette, plaquée par son mari, n'avait plus que son stylo pour écrire et ses beaux yeux mystérieux pour pleurer. Ecrire ne console de pleurer, pas plus que pleurer ne console d'écrire et, s'il faut de l'argent pour vivre, la soif de mourir d'amour ne fait qu'intensifier le sens de la vie.

Claude Chauvière seule se prolongea en brocantant ce qu'elle pouvait. Un jour, un prêtre parut chez elle. Elle liquida son bail et monta en fiacre dans l'ombre de la vaste et prestigieuse soutane. Le lendemain, on enlevait ses meubles.

Et, depuis je n'ai plus jamais entendu parler d'elle, si ce n'est par Edgar Malfère devant une muraille d'invendus.

Les femmes traversent notre ciel comme des oiseaux. Elles nous charment un moment, puis elles disparaissent. Mais il y en a qui, périodiquement, nous reviennent comme les cigognes à leur clocher habituel. C'est ainsi que je n'ai jamais cessé de revoir Mme D... tant qu'elle fut en vie.

Je lui avais fait parvenir les livres de Claude Chauvière, et c'est elle qui me parla la première de la chatte persane lors d'une de nos dînettes si agréables et si bavardes.

C'est Colette qui avait amené Claude Chauvière à Monzie et Monzie en était tombé amoureux. La maison dont il voulait l'usage au mois, peut-être à la journée, était baillée à Colette à trois-six-neuf. Colette, jalouse, en voulait l'usage exclusif.

Monzie, d'habitude meilleur psychologue, parla à Colette de son sentiment, qui, peut-être, n'était qu'une fantaisie. La situation de Monzie vis-à-vis de Colette lui permettait d'en user sans restrictions. L'amoralité de l'ex-épouse d'Henri de Jouvenel la rendait apte à tous les métiers, et elle se fût bien tirée du plus scabreux.

En l'occurrence, la jalousie fut la plus forte. Colette se rebiffa et déclara à Monzie interloqué que ce n'était pas parce qu'elle lui donnait des conseils qu'elle se sentait la vocation d'une maquerelle.

Mme D... ne m'a pas dit la réaction de Monzie. Elle ajouta simplement que « tant rue de Vaugirard que rue de Grenelle les antichambres étaient désormais veuves de leur plus encombrante cariatide ».

— Fort bien, madame, mais je m'explique assez mal, dès lors, la recommandation pressante de Mouzie à Malfère, pour le livre de Claude Chauvière.

Mme D... révéla sa surprise en une mimique expressive, fouilla sa mémoire, et me dit : « Cher ami, je puis vous affirmer que jamais Anatole de Monzie n'a recommandé Claude Chauvière ni à Malfère, ni à un éditeur quelconque, même par téléphone. En revanche, j'ai de fortes raisons de penser que cette recommandation est sortie de l'imagination de Colette. Au ministère, j'ai reçu plusieurs coups de téléphone, l'un de chez Albin Michel, l'autre de chez Flammarion notamment. Pour tous ces gens-là. Colette passe pour être l'interprète de Monzie. On me priait de dire au Ministre que compte serait tenu de sa haute recommandation. Monzie, à qui je rapportais ces coups de fil, me regardait consterné ».

—Mais, dès lors, Madame, devant que nous n'eussions publié cet ouvrage, quelques éditeurs ont refusé de l'offrir à leur clientèle ?

—C'est bien cela, mon cher ami, exactement cela, je le crains.

6

Colette à ses débuts, témoignait d'une franchise, vis-à-vis d'elle-même, qui n'était que de l'audace.

J'ai remarqué ce cynisme chez beaucoup de femmes dissimulées à l'égard des autres.

Cette tendance de Colette était double. Elle se manifestait d'abord par la lecture de livres érotiques. C'est Colette qui m'a initié au chef-d'oeuvre de la littérature érotique française : *Le Maître et l'Esclave* de Marcel Schwob. D'autre part, toute la sincérité de Colette consistait à ne faire grâce à personne de ses sentiments, de ses réactions intimes, sexuelles, toujours définies ou évoquées avec un extraordinaire pittoresque.

Il m'arrivait d'aller, en 1912 ou 1913, souper chez Paul, à l'angle de la rue des Martyrs et de l'avenue Trudaine. J'y soupai un soir avec Abel Tarride, le jeune ténor Tirmont, de l'opéra-Comique et Irène Bordoni, beauté égyptienne fascinante, d'origine Corse, enfin Colette.

J'étais à côté de Colette. Elle ne quittait pas Bordoni des yeux. Je lui glissai en douce : « Bordoni a un charme extraordinaire ». Colette me répondit : « Elle me fait b...r *(sic)* ».

Chacun comprendra cette confidence dans le sens le plus profond et y trouvera la Colette d'avant-guerre dans l'absolu de son érotisme trouble et troublant. Colette seule voyait clair jusqu'au fond, à travers la lascivité poignante de ces eaux vertes. D'humeur bavarde, elle ne cachait rien de ce qui se passait, mais ne voyait clair qu'en elle.

La Rochefoucault note cette maxime : « Combien de gens ignoreraient l'amour s'ils n'en avaient pas tant entendu parler !». J'entreprends ici, tout simplement de combler cette lacune à laquelle Colette remédiait déjà, mais seulement pour elle-même. Ceci, on le sait, lui a toujours suffi.

S'entendre d'abord sur la valeur du mot. L'érotisme ne compte aucun équivalent dans la lexicologie française. Un réalisme outré n'est pas plus érotique que la grivoiserie, la truculence, l'alignement d'expressions argotiques, le ronronnement des poèmes galants.

L'érotisme, c'est, comme la poésie elle-même, une façon de voir, de comprendre, de sentir la vie et le monde. C'est l'aspect intellectuel de l'amour. Cette définition est de Willy.

Il existe une vision érotique des êtres et des choses, comme il en existe une vision idéalisée et une vision réaliste. Cette vision érotique ne s'applique pas nécessairement à un sujet scabreux. Certains peintres ont réalisé l'interprétation érotique de fruits, de fleurs, de natures mortes. D'autres ont peint les nus les plus réalistes, les plus audacieux, sans effleurer même l'érotisme. C'est que l'érotisme n'est pas quelque chose, mais l'aspect de quelque chose. Il tient donc de la création esthétique et demeure, comme elle, un phénomène individuel, un jeu de l'intelligence et de la sensibilité.

L'érotisme, c'est le sens personnel de la volupté. L'amour en est le caractère sensible. Un homme civilisé ne conçoit le plaisir sans l'intelligence. Il ne saurait concevoir l'amour sans l'érotisme.

Mesurez la distance qui sépare le viol élémentaire auquel se réduisaient, dans les temps primitifs, les relations de l'homme et de la femme, des travaux raffinés de séduction d'à présent. Vous comprendrez que l'amour est maquillé, qu'il porte un masque. Ce masque est celui de l'érotisme. L'érotisme est ce qu'apporte la civilisation à l'amour.

Si l'amitié est faite de services espérés, l'amour est fait de voluptés supputées. L'amour a donc l'imagination érotique.

Colette n'a jamais rien imaginé. Elle observe et elle écrit ou évoque en confiant au lecteur ses réactions les plus secrètes. Un tel art exclut toute pudeur de la part de l'auteur. Ce n'est pas moi qui le lui reprocherai. Quant à notre pudeur, j'entends celle du lecteur, elle n'est que notre hypocrisie qui supporte mal la vérité.

L'érotisme est exactement à l'opposé de la pornographie. Celle-ci décrit sans art, ravale la vie au rang de la vulgarité, à la portée du premier illettré venu. L'érotisme ne décrit jamais. Il suggère, il évoque, il envoûte et souvent par le rythme.

L'érotisme, comme la poésie, crée l'illusion par l'allusion et la répétition. C'est un langage caché, et peut-être issu, en Occident, des artifices de la *Gaya*. Colette parle cette langue imagée mieux que personne.

L'une des révélations les plus sensibles de l'érotisme dans les arts plastiques est la peinture des baroques florentins : Sandro Botticelli, Filippo Lippi, d'autres. On sait le rythme accentué de ces formes charnelles et les pâmoisons que son admiration suscite chez les neurasthéniques du vieux monde et du nouveau.

—Ce rythme graphique, me disait Pierre Louys, est proche du rythme prosodique des petites pièces érotiques des poètes de l'Anthologie.

Le style de Colette n'est qu'une graphie baroque, d'autant plus vivante.

L'érotisme dans l'art a toujours été décrié sottement par des gens qui le confondent avec la pornographie. Il n'y a pas d'art sans érotisme, et il n'existe ni art ni littérature, depuis que l'art et les lettres existent, qui n'ait ses oeuvres érotiques.

On a cru me nuire en stigmatisant l'érotisme de mon oeuvre. Je calcule qu'on m'a rendu service. Colette, qui n'avait pas rougi de son érotisme, vers 1921 et 1922, cherchait, dans la société qu'elle fréquentait et qui commençait à être la bonne, à se le faire pardonner. La vie de Paris, amputée par la guerre de tant d'éléments séduisants et spirituels, tentait de redevenir ce qu'elle avait été avant le coup de tonnerre de 1914. Elle était déjà autre chose, en plus libre, en plus mêlé. Les cagots se montraient ravis d'un certain libertinage, les gens indépendants venaient y chercher le climat d'une tradition dont n'existait plus que le souvenir. Les uns et les autres — transformés par la guerre — s'obstinaient à paraître, et la baronne de Jouvenel fréquentait, ravie d'éveiller les curiosités, la comtesse de Bertinchamps.

La comtesse de Bertinchamps, dont le mari était cousin de Catherine de Givré, l'avait enviée de son vivant et continuait à en dire du mal après sa mort. Les femmes qui rêvent d'être libres, et n'osent s'affirmer telles, ont souvent des sentiments à l'égard de celles qui ont eu le courage de l'indépendance.

Nous prenions du thé chez elle, et en comité très intime. Mme de Bertinchamps me demanda pourquoi je m'obstinais à défendre Catherine, et je lui disais : « parce que je l'ai tant aimée... Lorsqu'une femme s'est donnée à un garçon... ».

Ici, roulant les *r*, Mme de Jouvenel m'interrompit : « Une femme ne se donne jamais à un garçon. Tout au plus, peut-elle l'aider à la prendre ».

Bertinchamps était mélomane. Il composait de la musique et l'interprétait. On demandait à sa femme si elle était heureuse en ménage : « Jugez-vous même. J'ai horreur de la pause. Je déteste les soupirs et je n'admets pas qu'on me donne le ton ».

Mme de Bertinchamps était méchante, mais d'une méchanceté agréable, puisqu'elle y mettait la grâce et l'esprit. Le fils d'Henri de Régnier, Tigre, tout jeune, s'amouracha de ses quarante-cinq ans qui gardaient l'éclat de la trentaine : « Pour vous — voyez combien je vous aime — j'irais jusqu'au bout du monde ». Elle se mit à rire : « C'est plutôt loin ! Si vous voulez arriver à temps, filez immédiatement ».

Pourquoi cette femme intelligente, mais qui tenait compte de tous les préjugés, et pourtant passionnée de Colette, avait-elle de l'amitié pour moi ? Je pense qu'elle s'embêtait dans un milieu d'opinions toutes faites, et qu'elle y prenait connaissance de sa supériorité.

Mme de Bertinchamps recevait le mercredi, de cinq à sept pendant l'hiver et le printemps. Sans être exclusivement « littéraire » son salon faisait figure de bureau d'esprit. On y discutait librement, et la maîtresse de maison ne détestait pas les opinions exprimées avec vivacité.

L'opinion qui dominait était forcément l'opinion catholique, mais nullement dans l'esprit étroit et sot où tentait de l'imposer, alors, surtout au service de ses ambitions académiques, M. Charles de Pomairols. Mme de Bertinchamps n'exigeait pas des garçons qu'elle recevait leur billet de confession, ni qu'ils allassent à la messe. Elle ne se faisait point documenter par des espions sur leur vie privée. Ce qu'elle voulait, c'était qu'ils fussent des hommes du monde et qu'ils se conduisissent comme tels.

Elle ne se cachait pas de penser que le talent excuse le reste, et elle était très fière de recevoir Colette, qui cherchait visiblement à atténuer, sous son tortil de baronne, ce parfum de scandale que des imbéciles et des snobs venaient respirer autour d'elle. Les plus lettrés la fêtaient comme l'un de ces phénomènes qui font la gloire d'un salon, l'encensoir à la main. Colette ne détestait déjà l'encens qu'à l'église. Elle s'avérait sensible aux hommages. Sous tant de caresses, la chatte arrondissait le dos, se pelotait en boule et miaulait à mi-voix, pour témoigner de sa satisfaction. L'un des habitués de la maison était M. Henry Bordeaux. Contrairement à celui-ci, tolérant et libéral en sa niaiserie suffisante, s'élevait dogmatique le vicomte de Monthozon-Brachet. Mauvais poète, c'est-à-dire dépourvu d'originalité, M. de Monthozon dédiait ses pauvretés au Saint-Père, aux Cardinaux, aux têtes couronnées, aux duchesses... Celle d'entre ces dernières qui l'encourageait — je crois pécuniairement —était la duchesse de la Roche-Guyon. Les nombreux printemps de cette excellente et vénérable dame retrouvaient dans les vers du vicomte de Monthozon « l'idéal poétique de Lamartine et des poètes de sa jeunesse ».

Je m'étais permis d'objecter que l'idéal d'un poète ne signifie rien quant à son art, qu'il existerait à Paris autant de poètes que de réverbères si l'idéal suffisait à faire le poète, et que ce qui fait le poète, c'est la maîtrise de la forme personnelle dans laquelle cet idéal est exprimé. C'était une façon polie de dire à la duchesse : « Votre vicomte est un plat versificateur, et son seul mérite est d'être un rat de sacristie, un têtard de bénitier ».

Les gens d'Eglise comme les gens du monde aiment la poésie

banale qui ronronne parce qu'elle n'a aucun sens, et que le plus sûr moyen de ne rien dire de subversif est de débiter des mots qui ne signifient rien du tout.

M. de Monthozon m'accusa de vouloir lui ravir l'amitié de sa duchesse et me diffama. Ce n'était pas difficile. Chacun sait que mes romans sont francs, et que j'ai toujours évité d'en parler en société, admettant l'avis des gens qui ne sont pas d'accord avec moi. Il fallait être bête comme M. de Monthozon pour en déduire que j'étais « un pornographe, un écrivain érotique ».

C'est cette stupidité qu'il venait de lâcher ce mercredi où j'arrivai chez Mme de Bertinchamps, entourée d'une brillante assistance où traînait l'infante Eulalie.

M. de Monthozon, qui n'avait aucun sens psychologique, ne se doutait pas qu'il venait de susciter autour de moi un peu de cette sympathie spéciale que, dans le monde, éveille la curiosité.

Colette présente, aussi coupable que moi, et qui aurait pu me défendre, évita soigneusement de le faire. L'auteur de *L'Envers du Music-Hall* et de *Ces plaisirs...* (les charnels) laissait sans un signe de protestation, frapper d'excommunication majeure l'écrivain de la *Femme Crucifiée,* de *Jeunesse et plaisirs de M. de Sorgues.* Bien plus, son silence avait été interprété comme une approbation... Elle devait, à mon reproche, me dire qu'elle « avait laissé bouillir la soupe, sachant que je réagirais, mais curieuse de savoir comment ».

J'entrais, tous les regards se tournaient vers moi, faisant ma révérence à S. A. R. et baisant la main de la maîtresse de maison. Je ne comprenais rien à ce « mouvement de séance » (comme on dit à la Chambre). Ce fut un ami qui me mit au courant.

Mme de Bertinchamps sentait bien que je me rattraperais. Le vicomte prenait des verdeurs de laitue. Il m'avait débiné en mon absence. Il devinait qu'on venait de tout me raconter. Je restais immobile, silencieux, souriant, prêt à foncer à la première occasion offerte. Mme de Bertinchamps craignait une algarade un peu vive dont elle savait que le Monthozon aurait le dessous. Elle eut l'esprit de jouer au paratonnerre détournant, canalisant la foudre menaçante, et me dit : « Cher ami, au moment où vous entriez, nous parlions de l'art érotique. Dites-nous donc ce que vous en pensez ».

Je répondis : « Madame, c'est une forme de l'art comme une autre et qui vaut par le talent qu'on y déploie. Il y a là, de même qu'ailleurs, des oeuvres admirables et des oeuvres qui ne le sont pas ».

Ici, un instant de silence. Les invités eurent l'impression que je me refusais à m'engager plus loin. Rassuré, M. de Monthozon émit : « Ce qui caractérise l'art érotique, c'est son amoralité ».

Ma réplique : « M. de Monthozon veut nous instruire d'une question qu'il ignore. La morale est une chose et l'art en est une autre. Il n'y a pas plus de rapports entre eux qu'entre la trigonométrie sphérique et le commerce des denrées coloniales. L'art n'est ni moral ni immoral. La morale n'a pas à être ou non esthétique ».

— Sans doute, dit M. de Monthozon. Mais l'art veut la qualité. Plus l'inspiration en est élevée, plus il est beau.

J'interrompis : « M. de Monthozon cherche par exemple à nous convaincre qu'au Salon des Artistes français, le portrait d'un général est, par principe, plus beau que celui d'un capitaine ».

Colette, à ces mots, prit une sorte d'accès de fou rire. Ça se déroulait en cascades avec des rappels de clairon et de tambour. Lorsque la crise se calma, je lui demandai si elle me donnait raison. Elle me répondit :

« Celui qui fait rire n'a jamais tort. Chacun est d'accord là-dessus. Au point de vue morale dans l'art, l'affaire est purement de tact, d'habileté de main. Question de dosage. Tout est permis avec le sens de la mesure ».

Ces paroles relevaient du lieu commun. On les prit pour l'Evangile, mais j'éveillai les sourires en demandant si Mme de Jouvenel écrivait avec une balance de précision.

La société n'est pas toujours sensible à l'esprit. Elle réagit nécessairement aux boutades. Celle-ci provoqua l'hilarité, je ne sais d'ailleurs trop pourquoi. Je me sentis tiré d'affaires, ayant les rieurs dans mon jeu. Ils s'amusaient peut-être moins de ce que j'avais dit que de la tête inénarrable de M. de Monthozon.

Mme de Bertinchamps s'inquiétait moins. On riait, donc ma thèse passait aux yeux des rieurs comme une lettre à la poste. Sans doute, s'étonnerait un honnête homme actuel du contraire. Mais il faut se rendre compte du ton d'alors, bien moins libre que celui d'à présent.

Le vicomte voulut parler et bafouilla. Il émit : « La beauté, c'est la hauteur de l'inspiration. Nul ne peut sortir de là ».

Je lui objectai doucement : « La beauté c'est le reflet de Dieu dans l'oeuvre de l'artiste, du poète, qui, dès qu'il crée, imite le Créateur. L'usage voulait, sous l'ancien régime, que tout artiste admis à l'Académie de peinture, offrît à la Compagnie un portrait du roi, de la reine ou de quelqu'un de la famille royale. Chardin fit exception. Il offrit cette *raie* qui est l'un des plus beaux fleurons du Louvre. Dieu est bien davantage dans cette *raie* que dans le médiocre portrait de Mme Victoire de Van Loo. La présence de Dieu ne se mesure pas dans le fait que l'artiste ait peint le Christ ou la Vierge. Elle se mesure dans la perfection de l'exécution ».

— Je vous l'accorde. Mais, cette *raie* n'est pas de l'art érotique.

— Tant que vous voudrez. Mais *l'Indifférent,* d'Antoine Watteau, au Louvre, est l'allusion la plus directe au détail érotique le plus précis. C'est néanmoins un chef-d'oeuvre.

Je parlais d'un ton un peu sec dont l'assistance s'amusait. Elle sentait le Monthozon acculé. Mme de Bertinchamps coupa l'entretien qui se dénaturait en vinaigre et dit se tournant vers moi : « Mon cher ami, c'est tout simple; improvisez-nous une causerie sur l'art érotique. Nous vous donnons carte blanche ».

Ces paroles furent presque applaudies. Tant d'honnêtes gens supputaient un peu de scandale, et, quittes à me le reprocher plus tard, ne désiraient point s'en priver. Je remerciai Mme de Bertinchamps : « N'y aurait-il là une surprise désagréable que pour une seule des personnes présentes, je ne me le pardonnerais pas. Si vous souhaitez une causerie sur l'érotisme dans l'art, je ne demande qu'à vous satisfaire dans le délai de huit jours. De cette façon tout le monde est prévenu et ceux que je pourrais froisser s'abstiendront. J'avertis d'ailleurs chacun que, s'il espère un entretien scabreux, il sera déçu. L'art est un sujet sérieux et l'érotisme dans l'art est un sujet grave. Je vous en parlerai sans hypocrisie, mais aussi sans grivoiserie ».

On me comprit et m'approuva, surtout Colette, mais à la sortie, nous nous retrouvâmes nez-à-nez sur le trottoir du square Lamartine et je lui fis un pas de conduite, notre route étant la même. Elle me dit :

« Vous avez été tout à fait trrrès bien. Je n'ai pas voulu intervenir parce que tous ces gens-là ne cherchent qu'à me faire dire des bêtises. Et vous êtes le premier à comprendre qu'à cause d'Henri, je suis tenue à beaucoup de discrétion. Je vais chez Mme de Bertinchamps pour m'y faire voir. Mais je viendrai vous entendre aujourd'hui en huit pour savoir comment vous allez vous débrrrouiller. Ce serrra drrrôle ».

Le mercredi suivant, ainsi que je le supputais, au lieu de vingt à vingt-cinq personnes, il y en avait cent. M. de Monthozon s'était abstenu. En revanche, l'infante Eulalie, la duchesse de la Roche-Guyon, d'autres personnalités notables de la société, vinrent à l'heure.

Mme de Bertinchamps fit passer du porto et, comme on annonçait les derniers retardataires, me pria de commencer.

La mode était alors aux conférences de salon. Le genre est plus agréable que celui des conférences solennelles, obligatoirement préparées et lues dans le style académique.

Cherchant la note un peu familière qui donne au public l'illusion d'une causerie, je parlai avec ce brin de négligence des improvisations qui donne la vie à l'entretien. Je ne puis donc reproduire ici mon texte.

*
* *

L'auditoire que j'avais d'abord un peu déconcerté, que j'avais ensuite intéressé, m'applaudit bien mieux que poliment. Au bout d'un quart d'heure de conférence, l'orateur sent inévitablement qu'une certaine communion s'est établie ou non entre lui et ceux qui l'écoutent. J'avais eu le sentiment que « ça collait » et je ne m'étais pas trompé. Ce sentiment me fut confirmé quand sans restriction, Mme de Bertinchamps me remercia et me félicita. L'infante me fit quérir par la maîtresse de maison et me dit gentiment : « Vous avez parlé comme un académicien. Je vous ai écouté avec beaucoup de plaisir ».

Il ne me restait qu'à me livrer aux compliments de Mme de Jouvenel. Elle me cueillit au passage, m'entraîna dans un coin, et me dit : « Vous vous en êtes bien tiré et avec la sympathie de tous. Il y a pourtant des dépités, plus nombreux que vous ne croyez : ceux qui s'attendaient à de petites cochonneries spirituelles. Il n'est pas mauvais pour vous qu'ils soient déçus. Moi, dans ma position délicate, je vous ai applaudi autant qu'eux et ce n'est pas peu dire. Je vais raconter à Henri tous les détails de votre parade. Il en rira ».

M. Henry Bordeaux manquait à la fête, mais Francis de Croisset en était. Il me dit, lapidaire : « Moralité, un véritable créateur dépasse toujours de cent coudées les idées de son temps ». Il était l'un des intimes de l'infante et m'avait dit cela devant elle. S. A. R. se tourna vers moi, approuva et daigna encore me dire sa satisfaction. Elle émit cet aphorisme qui prouve l'esprit et la sagesse : « Les moralistes condamnent le mensonge, mais n'aiment pas la Vérité ».

Je me permis de lui répondre : « Madame, que Votre Altesse Royale me permette de lui faire observer que la Vérité est un vin très fort dont l'ivresse pourrait, d'aventure, détraquer les cerveaux mal préparés à la recevoir ».

Elle me sourit et me glissa dans un sourire aigu : « Vous, vous êtes un préparateur » *(sic)*.

Le lendemain, je me rendis au *Matin,* où je devais rencontrer Paul Hauchecorne, secrétaire de la rédaction. Sur le pas de la porte d'entrée, boulevard Poissonnière, je croisai Henri de Jouvenel que je n'avais pas vu depuis longtemps. Il me prit le coude, selon sa coutume familière, et fit quelques pas avec moi sur le trottoir : « Ma femme, me dit-il, m'a fait part de votre succès. Vous avez dit, à un public venu pour écouter le pire, tout ce qui pouvait être dit dans le genre, mais d'une manière telle, que peu vous ont compris. Ceux-là ne vous ont applaudi que davantage. Mon amitié s'en félicite, mais m'oblige à vous conseiller de ne pas remettre cela. Le sujet est scabreux. Passe pour une fois... Une fois de plus et vous passeriez pour un spécialiste, un pornographe mondain ».

A ma très grande surprise, quelques jours plus tard, j'étais invité, par l'infante, à boire du thé chez elle. Elle habitait, boulevard Lannes, non loin de chez moi, un très vaste appartement meublé dans le style Empire, avec abondance de rideaux de peluche rose et jaune puce. Les meubles formaient un ensemble disparate, mais l'attention était détournée de ce manque de goût par un bric-à-brac innombrable de bibelots qui n'étaient pas sans mérite.

S. A. R. vivait assez bourgeoisement. Mais dans cette simplicité on relevait tout de même les traces d'un certain protocole. L'Infante « simplifie, mais ne renonce à rien » devait me dire plus tard Mme de Bertinchamps.

Le service d'honneur se composait d'une dame espagnole, la comtesse Nunez del Castillo, d'apparence tout à fait neutre, comme il sied, et d'une jeune lectrice dont j'ai oublié le nom. Elle était élégante, jolie, spirituelle, d'un blond cendré, avec un visage baroque, un fin sourire lumineux, un nez bizarre, un menton pointu.

J'ajouterai que ce que l'on pouvait deviner des formes charnelles de cette curieuse personne révélait un corps gracieux, fait au moule. Cette « jeune lectrice » qui frisait la trentaine, était une intellectuelle sans prétention, mais dont l'érudition m'étonnait chez une espagnole. J'ai su qu'elle ne l'était pas. Elle était Argentine et nièce ou cousine de mon ami Enrique Larreta, ambassadeur des Etats-Unis d'Argentine à Paris, et de son beau-frère Garcia Manzilla, ancien consul général à Saint-Pétersbourg.

Il avait rompu avec la diplomatie pour s'abandonner à la composition musicale où il obtenait des succès mondains tout en vivant une vie bizarre dans le sillage du tragédien de Max et du banquier musicien Bemberg. Jean Cocteau, qui en était à peine à *Le coq et l'Arlequin,* avait brillé dans la coterie...

Enrique Larreta et moi, nous étions devenus des amis dans une commune adoration pour Rémy de Gourmont, vers 1912. Larreta était poète et son roman *La Gloire de don Ramire,* avait séduit le Maître qui l'avait traduit.

Larreta passait pour l'homme le plus fortuné de son pays qui compte pas mal de milliardaires. Aidé par

Mme Larreta, prestigieuse, séduisante et constellée de pierres précieuses, que j'avais baptisée « la voie lactée » ce qui lui fit plaisir, l'ambassadeur argentin recevait princièrement ses amis, et étonnait le corps diplomatique en réservant aux poètes, aux écrivains, partout, et en toute chose, le rang privilégié. Son étonnante et géniale physionomie brille encore dans bien des souvenirs.

Je fis part à Mme de Bertinchamps de ma curiosité de voir une jeune milliardaire, restée fille, au service de quelqu'un, fût-ce de la tante d'un roi. Elle m'expliqua qu'elle exerçait ses fonctions scrupuleusement mais gratuitement pour l'honneur....

Quelques mois plus tard, follement attiré vers cette lectrice de S. A. R., je confiai ce sentiment à Mme de Bertinchamps. Elle éclata de rire et me dit : « Elle est en effet bizarre et ensorceleuse, mais jamais sa magie ne sera mise en oeuvre que pour désespérer les garçons. Les femmes, seules, ont le privilège d'intéresser cette personne ».

More lesbyco, dirait Juvénal !

Le service d'honneur de l'infante était gratuit, non désintéressé. La lectrice y trouvait, pour satisfaire sa passion, une liberté que ne lui aurait consentie une famille cléricale et bien pensante.

J'ai connu, par la suite, fort bien S. A. R. qui s'embêtait et que mes bavardages amusaient. Elle était aussi éloignée que possible du vice de sa lectrice. Je ne sais rien de sa vie intime si ce n'est qu'elle avait épousé un prince issu d'un des mariages espagnols dont on avait tant parlé sous Louis-Philippe. Elle s'appelait Bourbon y Orléans y Montpensier. Trois noms bien français pour une infante.

Ce mariage fut pour la princesse une désillusion. Séparée de ce mari qu'elle avait aimé et qui l'avait quittée pour d'innombrables maîtresses, elle était « le champs clos d'un duel entre l'amour et le dégoût ».

J'emploie ses termes au cours de confidences que je ne me serais pas permis de lui demander.

L'infante, la soixantaine franchie, sans être belle dans le sens banal du mot, déployait encore sa grâce prestigieuse dans une atmosphère de bienveillance. Elle était vaguement lettrée, mais montrait du bon sens et de l'esprit fin coulant de source. Sa haute sympathie pour moi se traduisait de manière imprévue. Elle me priait de venir la voir. La dame d'honneur ou la lectrice, présente, un peu à distance, se faisait oublier. S. A. R. me disait d'emblée : « Nous sommes contentes de vous voir. Faites-nous rire un peu et ne craignez pas d'être rosse ».

L'infante me parlait parfois de cette curieuse Madame de Jouvenel. Elle m'intéresse parce qu'elle fut l'héroïne de plusieurs scandales que je connais mal, et aussi parce qu'elle a écrit des livres... ».

— Beaucoup, Madame !

— Je veux dire des livres galants, des livres érotiques. Cela m'intéresse, surtout après votre conférence. Voulez-vous me les apporter... C'est bien elle, n'est-ce pas, qui, avec la Morny?

— Précisément, Madame.

— Je ne suis, dès lors, curieuse que davantage.

On sait que Mme de Belbeuf était, comme son frère Serge, l'enfant du mariage du duc de Morny avec une beauté de la noblesse espagnole transplantée au Mexique. La duchesse de Morny, à quatre-vingt ans passés, étonnait encore les habitués de Biarritz et de Saint-Sébastien par sa fièvre au jeu, et par les flammes qu'elle attisait dans les coeurs de ses jeunes amants. De méchantes langues vantaient leur courage. Elle les payait, paraît-il, assez cher.

Jamais je ne fus davantage à l'aise pour dire, sans retenue, tout ce que je pensais d'autant plus que j'étais sûr du silence complice de S. A. R.

Je ne parle pas, l'ayant fait ailleurs, de l'infant don Louis, fils de la princesse, personnage répugnant, sous de vagues apparences de charme fallacieux. Il est mort, déchu de sa qualité d'infant, et même d'honnête homme, entouré du mépris et du dégoût de tous. Dieu, en le rappelant à Lui, a épargné à sa mère le spectacle de ce déshonneur, de cet avilissement.

L'infante Eulalie était également pourvue, paraît-il, d'un chevalier d'honneur, le comte B... Je dois le renseignement à Daniel de Pradère, conseiller de l'ambassade d'Espagne, mon grand ami. Je n'ai jamais vu ce M. B... au nom balzacien. En revanche, à Saint Sébastien, chez Mme de San Carlos, je fus présenté à la comtesse B... Je m'enquis du comte de l'infante. Elle me répondit qu'elle ne le connaissait pas. Quand je revins à Paris, désireux d'éclaircir ce mystère, le comte de Pradère venait d'être expédié à La Raye comme plénipotentiaire de S. M. Catholique.

Il existerait donc un mystère B..., d'ailleurs facile à éclaircir. Je m'y suis assez peu employé. Daniel de

Pradère se rendait très rarement chez S. A. R. et évitait les personnes de son entourage immédiat. Je n'ai jamais su pourquoi. Il en était de même de l'ambassadeur d'Espagne, le marquis de Muni, personnage formaliste, essentiellement représentatif. M. Quinones de Léon nous fournit, depuis, le spectacle d'un parisien plus vif, plus aigu, plus actif. Jamais ambassadeur d'une nation amie ne fut plus fêté et plus aimé.

L'infante, ai-je dit par respect de la vérité, mais sans modestie, s'était beaucoup intéressée à ma causerie sur l'art érotique. Chez elle, elle m'avoua que mon public s'attendait à des détails scabreux que j'avais eu peut-être le tort d'éluder, mais qu'il n'avait pas été déçu. Et elle me parla des scrupules moraux des pécheurs qui craignent d'être scandalisés, et ne le sont jamais par leurs péchés.

Je répondis : « Ce sont des gens qui songent à tout sauf à ce qu'ils font. Et cela tient à ce qu'ils pensent en dormant ».

— C'est effrayant, me confia S. A. R., ce que l'on peut pécher dans ses rêves.

Ce demi-aveu trahissait la curiosité de S. A. R. pour tout ce qui tenait de la vie... mettons sentimentale. Elle m'interrogeait sur Mme de Belbeuf, sur « cette singulière Jouvenel ».

J'eus l'impression que, faute sans doute d'apaiser assez, avec son chevalier servant, les angoisses secrètes et tardives de sa chair, l'infante cherchait cérébralement par auto-suggestion, des satisfactions voluptueuses solitaires, inspirées par les vices des autres. A présent, elle ne s'occupait que de Colette et m'accablait de questions à son sujet. Elle me parlait aussi de l'amener chez elle, « cette Jouvenel ». Une entrevue discrète ne tirerait pas à conséquence.

Ne pouvant répondre à toutes les questions de S. A. R., je me payais le malin plaisir d'inventer. Je détaillais des orgies auxquelles j'aurais participé avec Colette et l'infante soupirait : « Vous avez eu bien de la chance... Bien plus que moi ».

Ici se produisit une scène inoubliable. L'infante remarqua que je regardais, depuis quelques minutes, une vitrine à bibelots. Elle me demanda ce qui m'intéressait. Je lui répondis : « Mais tout, Madame. J'ai adoré les bibelots. J'ai dû me défaire, hélas, de ma collection, en une période d'infortune. Le monde des bibelots est un royaume à part. Il a sa vie et son histoire ».

S. A. R haussa les épaules. « Je sais qu'il y a de bonnes choses dans ces riens du tout. J'ignore lesquelles. Ouvrez cette vitrine et voyez vous-même ».

Je pris, successivement, divers objets sans grand mérite, échafaudant quelques explications, puis je m'emparai d'une tabatière en or, de forme rectangulaire, arrondie aux coins. La princesse précisa : « Je sais ce que c'est. Cette tabatière est ancienne. Elle me vient de mon mari. Il l'avait toujours en poche et il y mettait ses cigarillos ».

Je regardai l'objet. Sur le couvercle étaient gravées les armes de la famille de Bernis, surmontées d'un chapeau de Cardinal. J'y trouvai la preuve qu'il s'agissait du Cardinal de Bernis.

S. A. R. ajouta : « C'est possible. Je n'ai jamais tant regardé l'objet que depuis que vous le tenez en main ».

Retournant la tabatière, je vis, à la base, dans l'or, la trace imperceptible d'une rainure, et sur l'extrémité gauche, un bouton d'onyx enchâssé. J'ai raisonné qu'il y avait un mécanisme et que la boîte était double, à la manière de celle de Talleyrand qui, d'un côté mettait le tabac à priser qu'il offrait, et, de l'autre, celui qu'il prisait lui-même, vierge du contact et des doigts d'autrui.

Je presse sur le bouton. Je sens une légère secousse. La base de la tabatière se dresse comme un couvercle pour offrir le spectacle d'une miniature charmante. Deux nudités féminines mêlées dans un indescriptible enlacement.

La princesse jette un coup d'oeil, pousse un petit cri, puis se met à rire à l'indécence de l'objet... « Vous aviez raison, s'écrie-t-elle. C'est bien français, et du XVIIIe siècle ! Quelle découverte !... Mais aussi quel scandale ! »

Je répondis : « Madame, cette miniature est un chef-d'oeuvre. Il ne peut y avoir de scandale. Le mieux est, je pense, d'admirer, sans s'émouvoir.

— Il faut être blasé comme vous l'êtes pour regarder cela sans s'émouvoir ! Deux femmes, ensemble, et dans quelle position ! ... Puis-je garder cela chez moi ?

— Oui, Madame. D'abord parce que c'est une oeuvre d'art, et puis parce que vous n'êtes pas obligée de montrer la miniature à tout le monde !

Après un dernier coup d'oeil, je refermai la boîte et je la replaçai là où je l'avais prise. La princesse était encore bouleversée de la surprise impudique que, sans le vouloir, je lui avais réservée.

Elle me demanda : « Il n'y a rien d'exagéré là-dedans ? Vraiment deux femmes peuvent s'accoupler de la sorte ? ». Il m'était difficile de donner à la princesse le conseil de s'en inquiéter auprès de Mme de Jouvenel. Je répondis par un sourire, pendant qu'elle se moquait de moi.

Elle insista : « Je vous le demande sérieusement. Vous devez savoir cela, vous ! *(sic)* ». Je n'osai pas demander à S. A. R. ce qui lui faisait m'accorder tant d'autorité en une matière aussi délicate.

Je me permis de lui citer deux vers d'un de mes poèmes :

Car les garçons sont pour les filles
Et les filles pour les garçons... (1).

La princesse eut alors un moment de dépit : « Vous ne comprenez donc pas que je vous autorise à me parler comme vous le feriez à un ami... un ami masculin ? ».

Le garçon est pour la fille
La fille est pour les garçons.

Mon poème est inspiré par la Révolution de 1848 et par les *Vésuviennes.* Il était donc tout naturel que les faisant chanter je prélevasse ces deux vers dans leur chant, célèbre encore par le refrain.

C'est la barbe, c'est la barbe,
C'est la barbe qu'il nous faut...

On sait que George Sand fut tenue pour l'auteur de ce *chant des Vésuviennes.* Elle s'en défendit plus tard avec acharnement. Mais, sur l'heure, elle se contenta « de sourire d'un petit air entendu » (*Viel-Castel).*

— Mais, Madame, je ne fais pas autre chose en ce moment. J'ai voué ma vie de poète et d'écrivain au culte de la femme et je n'ai jamais admis rien qui pût la diminuer à mes yeux. La femme est le chef-d'oeuvre de la création, peut-être pas au point de vue esthétique. Les formes plastiques de l'homme sont dès lors plus parfaites, mais la beauté peut se comprendre comme l'aptitude la meilleure à jouer un rôle déterminé par le Créateur. Le rôle de la femme est évidemment de faire l'amour. Dieu, à cette fin, l'a conçue comme un chef-d'oeuvre... Or, je ne conçois l'amour

(1)   Mon cher Henri Poulaille me fait remarquer que ces deux vers ressemblent terriblement à deux vers de Claude Le Petit brûlé en place de Grève en 1662.

que comme un poème classique qui nécessite la différenciation des genres. Les rimes masculines doivent alterner avec des rimes féminines.

— Vous n'êtes pas cependant sans connaître les *terza rima* de la poésie italienne. Deux rimes féminines enlacent une rime masculine. Beaucoup de poètes sont séduits par ce rythme-là, et vous ne me ferez jamais penser qu'en matière de... mettons de poésie, vous ayez quelque chose à apprendre. Vous nous avez trop bien parlé du vice, chez la comtesse, l'autre mercredi !...

— J'ai, en effet, Madame, une fausse réputation d'érudit. Il m'est difficile d'en abuser. Poète et amant, car les deux choses se confondent, j'ai cultivé la tradition classique. J'ai découvert, en rêvant ou en aimant, des jeux de rimes imprévus. Ma conclusion est que partout où il y a des rimes féminines, la rime masculine est d'une nécessité primordiale. L'amour, pour être digne de ce nom, ne se comprend qu'entre deux êtres profondément épris l'un de l'autre. Le véritable abandon est celui de toute pudeur, en tant que la pudeur, la vraie, celle qu'un être connaît à l'égard de soi-même, demeure ce qu'il y a de plus précieux. Un tel consentement supporte avec difficulté la présence d'un témoin. Il y a certes l'anomalie lesbienne à laquelle Votre Altesse Royale vient de faire une spirituelle allusion. Sous sa forme exclusive, elle est extrêmement rare. Ce qui est plus fréquent, c'est la femme amphibie qui ne déteste ni les baisers, ni les caresses de l'une de ses sœurs, mais en présence du garçon qui apportera à son plaisir la solution définitive, absolue... Contrairement à ce que pourraient penser des personnes mal informées, la présence d'une autre femme dans ce genre d'amusements est une triste chose. La tierce personne ne joue qu'un rôle d'esclave. Celle que ses jeux excitent est forcément jalouse de son amant. Et celui-ci, avant de combler sa maîtresse, en qui se résume pour lui toute la féminité, jouit du spectacle d'une créature avilie dans une domesticité dégradante.

La princesse m'avait écouté avec des yeux étranges. Je crois encore qu'elle cherchait à me convaincre que je lui avais appris quelque chose... Mais je subis encore une question : « Alors, la Jouvenel, elle fait ça indifféremment avec des filles et des garçons ? Alternativement ou en même temps ! Dites-moi ».

Je répondis que je n'en savais rien et que je m'excusais de ne pouvoir répondre.

— Je croyais que vous deviez savoir puisque vous avez fait la noce avec elle *(sic)*, c'est que vous n'avez rien vu ou que vous êtes lié par le serment *(resic)*. Vous êtes chevalier *(reresic)*. Mais peut-être que tout cela se trouve dans les livres de cette pécheresse. Ne manquez pas, surtout, de me les envoyer. J'attends beaucoup de surprise de leur lecture et s'il y a des passages que je ne comprends pas, vous me les expliquerez sans rien me cacher ».

Je pensai que S. A. R. se donnait bien du mal pour me convaincre de sa vertu, sinon de son innocence.

Il y eut un moment de silence qu'elle rompit en me disant : « Je songe... excusez-moi ! Je songe que vous avez eu de jolies maîtresses et qu'aucune n'a dû s'embêter un instant en votre compagnie. Mais, j'y pensais en songeant *(sic)*, vous pourriez me faire plaisir, à moi-même et à quelques amis intimes et discrets. Prenons un jour où vous nous referez, ici, votre conférence, mais un peu modifiée, en nous parlant d'art et de littérature modernes, en nous lisant les pages des auteurs mis en cause. Ça vous ferait un nouveau succès ».

Et, après un instant de pause, comme pour rattraper un détail oublié, la princesse ajouta : « Les auteurs pourraient peut-être venir lire eux-mêmes. Ce serait pour eux une belle réclame. Croyez-vous que votre *(sic)* Jouvenel accepterait ? ».

Je répondis à S. A. R. que Mme de Jouvenel était tenue à beaucoup de discrétion, même dans la gloire parce que l'exigeait la haute situation de son mari, sénateur influent.

Mais vous, vous n'êtes pas sénateur. Que pensez-vous de ce que je vous offre. N'est-ce pas une bonne idée ?

J'esquissai un mouvement de surprise.

— Je crains, dis-je, que Votre Altesse Royale n'ait pas réfléchi à l'énormité de ce qu'elle daigne me demander, J'avais une raison de ne pas refuser à Mme de Bertinchamps. C'était une manière élégante de répondre à ce *minus habens* de Monthozon qui, par pure sottise, avait mis en cause mon art et mes moeurs. Je m'en suis tiré sans froisser personne de mon auditoire, sans scandaliser une âme...

— D'accord. Mais chacun a songé, peut-être non sans trouble, à ce que vous faisiez comprendre sans le dire. Et là est l'habileté, et le charme.

— Madame, j'ai le contrôle de ce que je dis. Les gens, malgré moi, pensent ce qu'ils veulent.

— Et vous êtes habile à les faire penser !

— Il faut bien, Madame, car dans la Société, les gens pensent peu et difficilement. Les hommes ont des idées toutes faites et les femmes, à la pensée, préfèrent la rêverie dans les bras de leurs amants. Après quoi, elles déclament pour la vertu. Mais Votre Altesse Royale doit bien se rendre compte qu'une réputation est à défendre et que, si j'ai pu me permettre un écart à la prière de Mme de Bertinchamps, je ne puis transformer cette exception en habitude ni me faire passer pour un spécialiste des indécences spirituelles, dévoué au plaisir discret des gens du monde. Ceux-ci sont moins discrets que ne le serait leur plaisir, et plus je les intéresserais, moins ils se gêneraient pour changer cet intérêt en scandale. Votre Altesse Royale a toute raison de ne pas livrer sa haute réputation aux sottises les langues trop bien pendues. Je les crains, pour ma part, plus que les apaches des boulevards extérieurs.

— Et moi, me dit la princesse en riant, je crains encore davantage que vos bavards et vos malfaiteurs, les rapports des agents de l'ambassade d'Espagne à la Cour de Madrid.

Après cet entretien bizarre, j'allai voir Mme de Jouvenel et lui demandai, après lui avoir relaté toute ma conversation avec la princesse sans lui avoir fait grâce d'un détail, ce qui l'amusa beaucoup, de faire hommage à l'infante de quelques-uns de ses livres. Colette, ici encore, est d'habitude peu généreuse. Immédiatement, le ton changea.

— Je n'ai aucune raison d'offrir mes livres à cette vieille hystérique. Si elle n'y trouve pas les petites cochoncetés *(sic)* qu'elle en attend, elle me taxera de pornographie et cela fera du joli. D'ailleurs, elle s'est fichue de vous. Sa lectrice, qui est de la confrérie, la met en lecture et le comte de B..., son amant, intervient dans leurs partouses.

J'avoue n'en avoir rien cru.

*
* *

J'ai revu souvent l'infante Eulalie. Elle était fort assidue dans toutes les manifestations de la vie parisienne et se rendait volontiers dans des maisons où je fréquentais. S. A. R. fut toujours pour moi d'une extrême bienveillance, mais elle ne me parla plus jamais ni d'art ni de littérature érotiques.

Quelques mois plus tard, une dame sud-américaine, épouse d'un diplomate espagnol, le marquis de Torre Tagle, offrit un dîner de douze couverts à l'hôtel Ritz. Parmi les convives, l'infante Eulalie et le comte Louis Primoli, mon vieil ami romain,

La conversation fut d'abord banale et languit un peu. Une anecdote plutôt scabreuse de Primoli lui donna de la vivacité. J'étais placé à la droite de la comtesse Potoka, née Piguatelli d'Aragon, napolitaine, et à la gauche d'Hélène Dufau, l'artiste à laquelle on doit de si élégants portraits.

La comtesse Potocka s'enquit auprès de Primoli d'une de ses amies, une américaine, épouse d'un gentilhomme romain.

— Vous ne savez donc pas ? lui dit Primoli. Le ménage est séparé.

— Et pourquoi cette séparation ? Ce mari et cette femme s'entendaient fort bien.

— Ce fut le cas, expliqua Primoli, jusqu'au jour où Mme Vincenti, la belle veuve, vénitienne fulgurante, entra dans leur intimité. Elle entraîna notre amie pour un long séjour à Capri. Trouvant le temps long, le mari vint les relancer et il ne fut pas long à être édifié sur le genre d'affection qui liait les deux femmes...

— Je vois, interrompit l'infante Eulalie en se tournant vers moi. Mon cher ami, c'est une affaire dans le genre de la tabatière de mon mari.

Je crois bien que nous fûmes, S. A. R. et moi, les seuls à comprendre cette interruption.

La princesse cligna de l'oeil et partit d'un franc éclat de rire.

Achevé d'imprimer en avril 2004
sur les presses de Impression Design
à Barcelone

Dépôt légal avril 2004
ISBN 2-914571-60-7

Imprimé en Espagne

Anagramme éditions
48, rue des Ponts
78290 Croissy sur seine
01 39 76 99 43